LA BONNE CUISINE

Buffets chauds et froids

p

Parragon
Queen Street House
4 Queen Street
Bath BA1 1HE, Royaume-Uni

Conception : Bridgewater Book Company Ltd

Réalisation : *In*Texte Édition, Toulouse.

ISBN : 1-40543-498-8

Imprimé en Indonésie
Printed in Indonesia

NOTE

Une cuillerée à soupe correspond à 15 à 20 g d'ingrédients secs et à 15 ml d'ingrédients liquides. Une cuillerée à café correspond à 3 à 5 g d'ingrédients secs et à 5 ml d'ingrédients liquides. Sans autre précision, le lait est entier, les œufs sont de taille moyenne et le poivre est du poivre noir fraîchement moulu.

Les temps de préparation et de cuisson des recettes pouvant varier en fonction, notamment, du four utilisé, ils sont donnés à titre indicatif.

La consommation des œufs crus ou peu cuits n'est pas recommandée aux enfants, aux personnes âgées, malades ou convalescentes et aux femmes enceintes.

Sommaire

Introduction 4

Sauces et garnitures 8

Tourtes et tartes 56

Viandes et volailles 104

Poissons 132

Légumes 158

Pains 212

Index 254

Introduction

Les mets décrits dans cet ouvrage conviennent tout particulièrement pour les diverses réunions et occasions festives qui forment le tissu de la vie sociale. À la fois faciles à préparer, élégants et agréables à déguster, ils sont parfaitement adaptés aux modes de vie modernes. Leur confection est très amusante, et vous éprouverez une grande satisfaction lorsqu'ils feront visiblement les délices de parents et amis. Les recettes présentées offrent une foule de possibilités pour la préparation de délicieux plats convenant pour chaque occasion, qu'il s'agisse d'un cocktail formel, d'un pique-nique familial ou d'un dîner au jardin. Quelle que soit la situation, prenez le temps de bien planifier vos actions. Optez pour des recettes propres à satisfaire tous les convives et pouvant être mariées sans difficultés à la fois en saveurs et en apparence. Prenez également en compte le temps dont vous disposez pour leur préparation. Ces précautions prises, il est plus que probable que vos invités seront enchantés par chaque minute et chaque bouchée de cette expérience culinaire originale, et ils ne manqueront pas de vous en faire part.

Une très grande diversité d'ingrédients et d'assaisonnements composent les recettes de cet ouvrage, de sorte que chacun est sûr d'y trouver une préparation à son goût.

Tous les courants culinaires sont représentés, et un grand nombre de mets festifs originaires du monde entier figurent dans ces pages, parmi lesquels bruschetta et focaccia italiennes, nem et dim sum chinois, samosa et bhaji indiens, guacamole et nacho mexicains, tzatziki et tarama grecs, houmous et baba ghanoush du Moyen-Orient.

L'accent est donné sur la rapidité et la simplicité de la préparation, afin que la maîtresse de maison ne soit pas confinée dans la cuisine et puisse profiter des festivités au même titre que ses invités. La qualité de la présentation est un autre aspect abordé avec soin, de manière à ce que les mets même les plus simples brillent par leur apparence, et nombre d'idées innovantes pour des garnitures, des sauces et des plats d'accompagnements sont également livrées au fil des pages.

La plupart des mets peuvent être préparés à l'avance, à l'image de ceux décrits dans le chapitre Sauces et garnitures (pages 8 à 55), qui peuvent être servis avec une grande diversité de pains régionaux et de galettes et biscuits salés. Le chapitre Pains inclut des recettes pour la confection de gressins et de bien d'autres délicieux accompagnements.

Certaines préparations peuvent être servis froides, ce qui facilite leur utilisation pour un repas au jardin ou un pique-nique, tandis que la plupart des mets à déguster chauds seront facilement portés à bonne température au four ou au gril juste avant la présentation à table. Cette opération sera encore facilitée s'il s'agit de parts individuelles, ce qui est souvent le cas dans cet ouvrage, et elle vous permettra d'orchestrer parfaitement le déroulement du repas, en servant tel ou tel plat lorsque bon vous semble, pour votre plus grand plaisir et celui de tous les autres convives.

En outre, rien ne vous empêche d'utiliser ces fabuleuses recettes lors d'occasions plus ordinaires, par exemple un simple dîner rassemblant les membres de la maisonnée. Quel que soit votre choix, l'important est de prendre du plaisir à préparer ces mets et à les déguster.

Les bases de la préparation d'un buffet

L'organisation d'un dîner ou d'une réception doit être une source de plaisir et de satisfaction. Quelques recettes bien choisies et un peu de temps pour la préparation sont tout ce dont vous avez besoin.

Principes essentiels

Ne négligez pas les amuse-gueules prêts à l'emploi. Tranches de pain grillées, chips et tortillas sont délicieuses en l'état ou trempées dans divers assaisonnements faits maison. Les cacahuètes grillées sont incontournables, mais rien ne vous empêche de leur ajouter amandes, pistaches et noix de cajou. Une sélection de fromages associée à une panière de biscuits salés et de tranches de pain croustillantes fera le bonheur de nombre d'invités, tandis que quelques en-cas tels que pilons de poulet grillés, petites saucisses et divers canapés habillés d'œufs de poisson, de saumon fumé, de saucisson ou de fromage blanc annonceront à merveille des mets aux saveurs plus élaborées. En garniture, utilisez par exemple des herbes aromatiques, des tranches d'olives farcies, des oignons grelots et des petits cornichons. Si l'utilisation d'assiettes et de couverts ne vous rebute pas, vous pouvez également inclure diverses salades, vertes ou composées. Certaines des salades prêtes à l'emploi sont délicieuses. Plusieurs salades de pâtes et de riz augmentées d'un mélange coloré de maïs, de quartiers de tomates, de lanières de poivrons rouges

et jaunes, de petits pois et de lamelles de jambon compléteront magnifiquement cet assortiment. Toutes pourront être accommodées à l'aide d'une vinaigrette ou d'une mayonnaise.

Crudités

Légumes crus ou blanchis forment un ensemble appétissant lorsque rassemblés dans une panière. Épépinez les poivrons jaunes, rouges ou orange et découpez-les en lanières. Faites blanchir le maïs nain et les pointes d'asperge dans une casserole d'eau bouillante légèrement salée. Proposez également des tomates cerises entières, quelques champignons blancs et des radis. Parez les feuilles de chicorée rouge ou blanche et associez-les, par exemple, à des feuilles de laitue. Coupez les choux-fleurs en fleurettes et les carottes et le céleri en bâtonnets.

Chips de légumes

Les chips de navet, de carotte ou de patate douce peuvent remplacer avantageusement les chips de pomme de terre ordinaires. Pelez les légumes et découpez-les en tranches très fines à l'aide d'une mandoline. Chauffez une quantité d'huile de maïs ou d'olive dans une sauteuse jusqu'à une température voisine de 180 °C. Versez ensuite les chips dans le récipient de cuisson et faites-les sauter jusqu'à ce qu'elles soient bien dorées. Pour finir, égouttez les chips sur du papier absorbant et saupoudrez-les de sel, de poivre ou de paprika. Froides, elles se conserveront plusieurs jours dans un contenant hermétique.

Sauces et garnitures

Les sauces et les garnitures sont toujours très simples et rapides à préparer, et peuvent s'adapter en un tour de main. Les ingrédients sont simplement mixés dans un robot de cuisine ou hachés dans une terrine, comme pour ces fameuses recettes venues du monde entier : l'aïoli (page 10), l'houmous (page 12), le tarama (page 16), le guacamole (page 18) et la salsa mexicaine (page 32), à servir avec des crudités, des gressins ou des chips de tortilla. D'autres petits plats font merveille étalés sur un morceau de pains tels la tapenade (page 20), le pâté de maquereau fumé (page 40) ou le pâté de foies de poulet (page 42), lors d'un dîner sur le pouce ou en entrée d'un repas pour les grandes occasions. Vous pouvez également emporter tous ces petits délices en pique-nique ou en garnir un plateau repas, pour vous régaler où que vous alliez.

aïoli

8 personnes

4 gousses d'ail
2 jaunes d'œufs
240 ml d'huile d'olive
jus de citron
sel et poivre
ACCOMPAGNEMENT
crudités (page 36)
8 œufs durs, écalés

1 Mettre l'ail et 1 pincée de sel dans une terrine, écraser et ajouter les jaunes d'œufs. Battre à l'aide d'un batteur électrique jusqu'à obtention d'une consistance crémeuse.

2 Ajouter quelques gouttes d'huile sans cesser de battre jusqu'à ce que la préparation commence à épaissir et ajouter la préparation restante en mince filet sans cesser de battre.

3 Incorporer un peu de jus de citron, saler et poivrer selon son goût et couvrir de film alimentaire. Réserver au réfrigérateur.

4 Transférer dans un plat de service garni de crudités et d'œufs durs écalés, et servir à température ambiante.

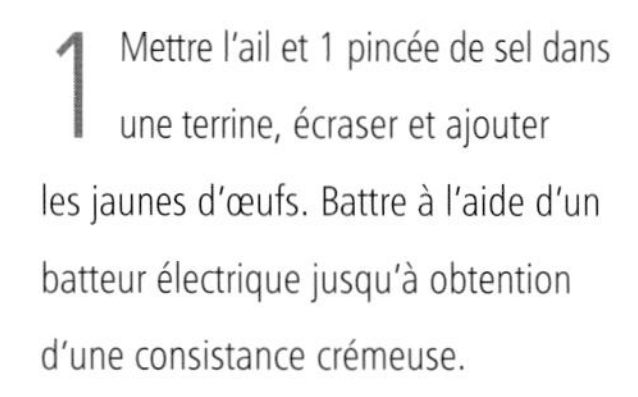

sauce au poivron rouge

8 personnes

3 poivrons rouges, coupés en deux et épépinés
250 ml de crème fraîche
½ cuil. à café de poivre de Cayenne
sel
ACCOMPAGNEMENT
tomates cerises
radis
champignons de Paris, coupés en deux
chou-fleur, en fleurettes
branches de céleri

1 Disposer les poivrons sur une plaque de four, côté peau vers le haut, passer au gril préchauffé 10 à 15 minutes, jusqu'à ce que la peau commence à noircir, et transférer dans un sac en plastique à l'aide de pinces. Fermer hermétiquement et réserver jusqu'à ce que les poivrons soient assez tièdes pour être manipulés.

2 Retirer les poivrons du sac, ôter la peau et concasser la chair. Transférer dans un robot de cuisine, mixer jusqu'à obtention d'une purée et transférer dans une terrine.

3 Incorporer la crème fraîche de façon à obtenir une consistance crémeuse, ajouter le poivre de Cayenne et saler selon son goût. Couvrir de film alimentaire et réserver au réfrigérateur.

4 Transférer dans un plat de service, disposer au centre d'un plateau garni de tomates cerises, de radis, de champignons, de chou-fleur et de céleri, et servir à température ambiante.

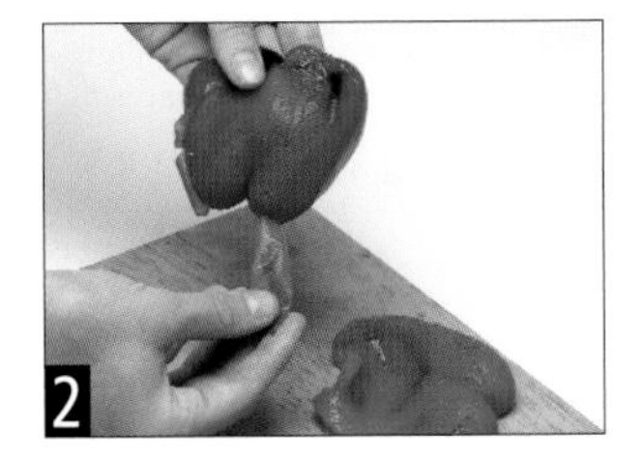

houmous et son pain libanais

8 personnes

350 g de pois chiches en boîte, rincés et égouttés
200 g de pâte de sésame
4 gousses d'ail
jus de 3 citrons
6 cuil. à soupe d'eau
sel et poivre
2 cuil. à soupe d'huile d'olive

PAIN LIBANAIS
60 g de graines de sésame grillées
60 g de graines de pavot
4 cuil. à soupe de thym frais haché
160 ml d'huile d'olive
6 pains pita

GARNITURE
2 cuil. à soupe de persil plat frais haché
poivre de Cayenne
olives noires

1 Pour le pain, mettre les graines et le thym dans un mortier, piler légèrement et incorporer l'huile. Couper délicatement les pains pita en deux, enduire le côté coupé de la préparation précédente et passer au gril préchauffé jusqu'à ce qu'ils soient croustillants et dorés. Laisser refroidir et réserver dans une récipient hermétique.

1

2 Mettre les pois chiches, la pâte de sésame, l'ail, le jus de citron et 4 cuillerées à soupe d'eau dans un robot de cuisine et mixer jusqu'à obtention d'une pâte homogène, en ajoutant l'eau restante si nécessaire, ou écraser à l'aide d'une fourchette.

2

3 Saler et poivrer selon son goût, napper d'huile et couvrir de film alimentaire. Réserver au réfrigérateur.

4 Transférer dans un plat de service, parsemer de persil et de poivre de Cayenne, et servir à température

3

ambiante, accompagné d'olives noires et de pain libanais.

baba ghanoush

8 personnes

3 grosses aubergines
3 gousses d'ail, hachées
6 cuil. à soupe de pâte de sésame
6 cuil. à soupe de jus de citron
1 cuil. à café de cumin en poudre
3 cuil. à soupe de persil plat frais haché
sel et poivre
brins de persil plat frais, en garniture
chips de légumes (page 7), en accompagnement

1 Piquer les aubergines à l'aide d'une fourchette, couper en deux dans la longueur et disposer sur une plaque de four, côté peau vers le haut. Passer au gril préchauffé,15 minutes, jusqu'à ce que la peau noircisse, retirer du gril et laisser tiédir jusqu'à ce qu'elles puissent être manipulées.

2 Peler les aubergines, presser de façon à exprimer l'excédent d'eau et concasser la chair. Transférer dans un robot de cuisine, ajouter l'ail et 2 cuillerées à soupe de pâte de sésame, et réduire en purée. Ajouter 2 cuillerées à soupe de jus de citron, mixer de nouveau et répéter l'opération en ajoutant la pâte de sésame et le jus de citron restants.

3 Transférer la préparation obtenue dans une terrine, incorporer le cumin et le persil haché, et saler et poivrer selon son goût.

4 Couvrir et réserver au réfrigérateur. Transférer dans un plat de service, garnir de brins de persil et servir à température ambiante, accompagné de chips de légumes.

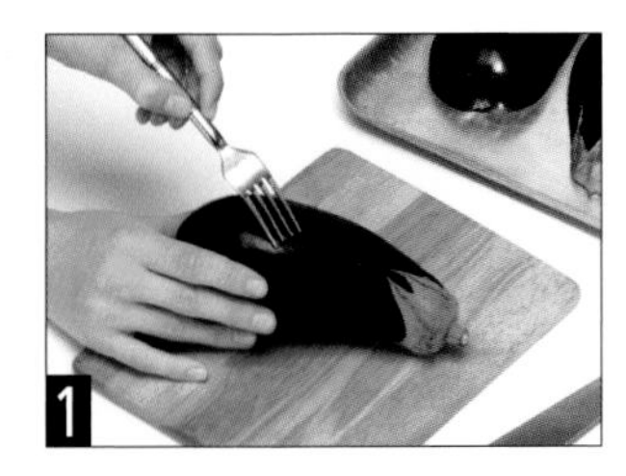
1

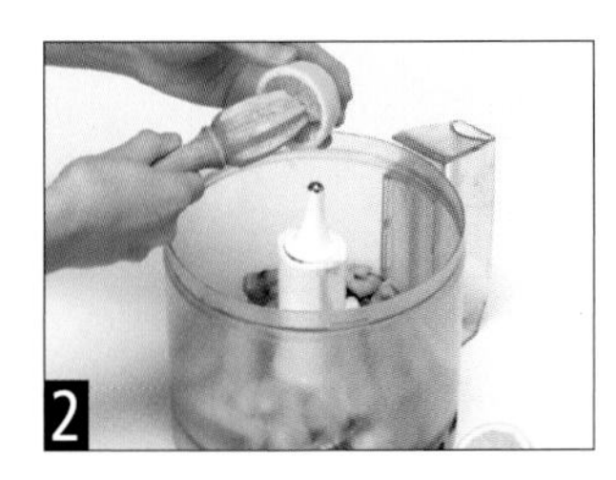
2

2

tzatziki

8 personnes

1 concombre
2 gousses d'ail
8 oignons verts
625 g de yaourt
5 cuil. à soupe de menthe hachée, un peu plus en garniture
sel et poivre

ACCOMPAGNEMENT
pains pita grillés
gressins aux graines de sésame (page 246)

1 Parer le concombre sans le peler, couper en petits dés réguliers et hacher finement l'ail et les oignons verts.

2 Dans une terrine, battre le yaourt à l'aide d'une fourchette, incorporer l'ail, les oignons verts, le concombre et la menthe, et saler et poivrer selon son goût.

3 Couvrir de film alimentaire et réserver au réfrigérateur. Transférer dans un plat de service et servir à température ambiante avec les pains pita et les gressins.

tarama

8 personnes

225 g de mie de pain blanc
350 g du cabillaud fumé
2 gousses d'ail, hachées
2 rondelles d'oignon
4 cuil. à soupe de jus de citron
180 ml d'huile d'olive
olives noires kalamata,
en garniture
tranches de pain frais,
en accompagnement

1 Émietter le pain, mettre dans une terrine et couvrir d'eau froide. Laisser tremper 10 minutes.

2 À l'aide d'un couteau tranchant, retirer la peau du poisson, émietter et transférer dans un robot de cuisine. Ajouter l'ail, l'oignon et le jus de citron, égoutter le pain en exprimant l'excédent d'eau avec les mains et ajouter dans le robot de cuisine.

3 Moteur en marche, ajouter l'huile progressivement jusqu'à obtention d'une consistance crémeuse, transférer dans un plat de service et couvrir de film alimentaire. Réserver au réfrigérateur.

4 Garnir le tarama d'olives et servir à température ambiante, accompagné de tranches de pain frais.

1

2

4

guacamole

8 personnes

4 avocats
2 gousses d'ail
4 oignons verts
3 piments rouges frais, épépinés
2 poivrons verts, épépinés
5 cuil. à soupe d'huile d'olive
jus de 1 citron 1/2
sel
feuilles de coriandre fraîches ciselées, en garniture
chips de maïs, en accompagnement

1 Couper les avocats en deux dans la longueur, retirer le noyau et transférer la chair dans une terrine à l'aide d'une cuillère. Écraser à l'aide d'une fourchette.

2 Hacher finement l'ail, les oignons verts, les piments et les poivrons, incorporer dans la purée d'avocats et ajouter 4 cuillerées à soupe d'huile et le jus de citron vert. Saler selon son goût, mélanger et mixer éventuellement dans un robot de cuisine, de façon à obtenir une consistance plus onctueuse.

3 Transférer dans un plat de service, napper d'huile et parsemer de feuilles de coriandre ciselées. Servir accompagné de chips de maïs.

2

1

3

caviar d'aubergines

6 à 8 personnes

2 grosses aubergines
1 tomate
1 gousse d'ail, hachée
4 cuil. à soupe d'huile d'olive vierge extra
2 cuil. à soupe de jus de citron
2 cuil. à soupe de pignons, légèrement grillés
sel et poivre
2 oignons verts, finement hachés
cumin en poudre, en garniture
2 cuil. à soupe de persil plat frais haché, en garniture

1 Préchauffer le four à 230 °C (th. 7-8). Piquer les aubergines à l'aide d'une fourchette, disposer sur une plaque de four et cuire au four préchauffé, 20 à 25 minutes.

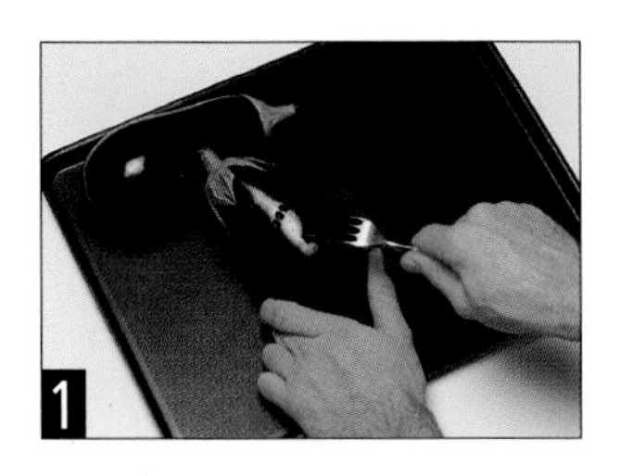
1

2 Retirer les aubergines de la plaque de four à l'aide d'une manique et laisser refroidir.

3 Mettre la tomate dans une terrine, couvrir d'eau bouillante et laisser reposer 30 secondes. Égoutter, plonger la tomate dans de l'eau froide de sorte qu'elle ne cuise pas et retirer la peau. Couper en deux, retirer les pépins à l'aide d'une cuillère et couper la chair en dés. Réserver.

4 Couper les aubergines en deux dans la longueur, retirer la chair à l'aide d'une cuillère et transférer dans un robot de cuisine. Ajouter l'ail, l'huile, le jus de citron et les pignons, saler et poivrer selon son goût et mixer jusqu'à obtention d'une consistance crémeuse et homogène.

4

5 Transférer dans un plat de service, incorporer les oignons verts et la tomate, et couvrir de film alimentaire. Mettre au réfrigérateur 30 minutes.

5

6 Garnir de cumin en poudre et de persil frais haché, et servir à température ambiante.

tapenade

6 personnes

fines tranches de baguette de la veille (facultatif)
huile d'olive (facultatif)
brins de persil plat frais, en garniture
bâtons de concombre, en accompagnement (facultatif)

TAPENADE D'OLIVES NOIRES
150 g d'olives noires en saumure, rincées et dénoyautées
1 gousse d'ail
2 cuil. à soupe de cerneaux de noix
4 anchois en boîte, égouttés
120 ml d'huile d'olive vierge extra
jus de citron, selon son goût
poivre

TAPENADE D'OLIVES VERTES
150 g d'olives vertes en saumure, rincées et dénoyautées
4 anchois en boîte, égouttés
4 cuil. à soupe d'amandes, blanchies
1 cuil. à soupe de câpres en saumure, rincées
120 ml d'huile d'olive vierge extra
1 à 3 cuil. à café de zeste d'orange râpé
poivre

1 Pour la tapenade d'olives noires, mettre les olives, l'ail, les noix et les anchois dans un robot de cuisine et mixer de façon à réduire le tout en purée.

2 Moteur en marche, verser lentement l'huile en filet, ajouter le jus de citron et poivrer selon son goût. Transférer la préparation obtenue dans un plat de service, couvrir de film alimentaire et réserver au réfrigérateur.

3 Pour la tapenade d'olives vertes, mettre les olives, les anchois, les amandes et les câpres dans un robot de cuisine et mixer de façon à réduire le tout en purée. Moteur en marche, verser lentement l'huile en filet, ajouter le zeste d'orange et poivrer selon son goût. Transférer la préparation obtenue dans un plat de service, couvrir de film alimentaire et réserver au réfrigérateur.

4 Faire griller les tranches de baguette des deux côtés jusqu'à ce qu'elles soient croustillantes et enduire un côté encore chaud d'huile.

5 Napper de la tapenade de son choix, garnir de persil et en répartir sur des bâtons de concombre.

1

3

4

sauce au fromage frais

4 personnes

250 ml de fromage frais
120 ml de yaourt ou de crème aigre
1 cuil. à soupe de persil frais finement haché
1 cuil. à soupe de thym frais finement haché
2 oignons verts, finement hachés

1 Dans une terrine, battre le fromage frais.

2 Ajouter le yaourt ou la crème aigre, les fines herbes et un oignon vert, et bien mélanger.

3 Couvrir de film alimentaire, mettre au réfrigérateur 30 minutes et bien mélanger. Transférer dans un plat de service.

4 Parsemer d'oignons verts et servir à température ambiante.

skordalia

6 personnes

55 g de pain de la veille
75 g d'amandes
4 à 6 gousses d'ail, concassées
160 ml d'huile d'olive vierge extra
2 cuil. à soupe de vinaigre de vin blanc
sel et poivre
brins de persil ou de coriandre frais, en garniture
gressins aux graines de sésame (page 246), en accompagnement

VARIANTE

Il existe de nombreuses versions de cette sauce. Remplacez le pain par 4 cuillerées à soupe de haricots cannellini ou de fèves. Vous pouvez aussi remplacer le vinaigre de vin blanc par du jus de citron fraîchement pressé.

1 Retirer la croûte du pain, couper la mie en morceaux et mettre dans une terrine. Couvrir d'eau, laisser macérer 10 à 15 minutes et presser le pain pour exprimer l'excédent d'eau avec les mains. Réserver.

2 Dans une terrine, mettre les amandes, couvrir d'eau bouillante et laisser reposer 30 secondes. Égoutter et retirer la peau.

3 Transférer les amandes et l'ail dans un robot de cuisine, hacher finement et ajouter le pain. Mixer de nouveau de façon à bien mélanger le tout.

4 Moteur en marche, verser lentement l'huile en filet, ajouter le vinaigre et mixer de nouveau. Saler et poivrer selon son goût.

5 Transférer la préparation dans une terrine, couvrir de film alimentaire et réserver au réfrigérateur. Garnir de fines herbes et servir à température ambiante, accompagné de gressins.

1

2

3

légumes et leur sauce au sésame et à l'ail

4 personnes

225 g de brocoli, en fleurettes
225 g de chou-fleur, en fleurettes
225 g d'asperges, coupées
en tronçons de 5 cm de long
2 petits oignons rouges, coupés
en quartiers
1 cuil. à soupe de jus de citron
2 cuil. à café de graines de sésame
grillées
1 cuil. à soupe de ciboulette
hachée, en garniture

SAUCE À L'AIL ET AU SÉSAME
1 cuil. à café d'huile de maïs
2 gousses d'ail, hachées
½ à 1 cuil. à café de poudre
de piment
sel et poivre
2 cuil. à café de pâte de sésame
180 ml de yaourt
2 cuil. à soupe de ciboulette hachée

1 Chemiser un panier à étuver en bambou de papier sulfurisé et disposer le brocoli, le chou-fleur, les asperges et les oignons.

2 Porter à ébullition une casserole d'eau, disposer le panier à étuver dessus et parsemer les légumes de jus de citron. Cuire 10 minutes à la vapeur, jusqu'à ce qu'ils soient tendres.

3 Pour la sauce, chauffer l'huile dans une casserole antiadhésive, ajouter l'ail et la poudre de piment, et saler et poivrer selon son goût. Cuire 2 à 3 minutes à feu doux, jusqu'à ce que l'ail soit tendre.

4 Retirer la poêle du feu, incorporer la pâte de sésame et le yaourt, et chauffer encore 1 à 2 minutes, sans porter à ébullition. Incorporer la ciboulette.

5 Retirer les légumes du panier à étuver, transférer dans un plat de service et parsemer de graines de sésame. Servir chaud, garni de ciboulette et accompagné de la sauce.

sauce à l'oignon

4 personnes

250 ml de crème aigre
3 cuil. à soupe de flocons d'oignons séchés
2 bouillon cubes de bœuf, émiettés

CONSEIL

Incorporez des fines herbes avant de servir, comme le persil ou la ciboulette et parsemez de paprika.

1 Mettre les ingrédients dans une terrine et bien mélanger.

2 Couvrir de film alimentaire et mettre au réfrigérateur 30 minutes.

3 Battre, transférer dans un plat de service et servir à température ambiante.

1

1

1

sauce aux amandes, pignons et lentilles

4 personnes

4 cuil. à soupe de beurre
1 petit oignon, haché
100 g de lentilles rouges
300 ml de bouillon de légumes
75 g d'amandes, blanchies
75 g de pignons
½ cuil. à café de coriandre en poudre
½ cuil. à café de cumin en poudre
½ cuil. à café de gingembre haché
1 cuil. à café de coriandre hachée
sel et poivre
brins de coriandre fraîche, en garniture

ACCOMPAGNEMENT
crudités (page 36)
gressins

VARIANTE

Vous pouvez utiliser des lentilles vertes ou brunes mais elles devront cuire plus longtemps. Remplacez les amandes par des cacahuètes et le gingembre frais par du gingembre en poudre (utilisez ½ cuillerée à café, ajoutée avec les autres épices).

1 Dans une sauteuse, faire fondre la moitié du beurre, ajouter l'oignon et cuire à feu doux en remuant fréquemment, jusqu'à ce qu'il soit doré.

2 Ajouter les lentilles, mouiller avec le bouillon et porter à ébullition. Réduire le feu, laisser mijoter 25 à 30 minutes à feu doux, jusqu'à ce que les lentilles soient tendres, et égoutter.

3 Dans une poêle, faire fondre le beurre restant, ajouter les amandes et les pignons, et cuire à feu doux en remuant fréquemment jusqu'à ce qu'ils soient dorés. Retirer du feu.

4 Dans un robot de cuisine, mettre les lentilles, les amandes, les pignons et le beurre restant dans la poêle, ajouter la coriandre, le cumin, le gingembre et la coriandre, et mixer 15 à 20 secondes, jusqu'à obtention d'une consistance homogène, ou écraser le tout à l'aide d'une cuillère en bois.

5 Saler et poivrer selon son goût, garnir de coriandre et servir accompagné de crudités et de gressins.

2

3

4

sauce à l'ail

4 personnes

2 têtes d'ail
6 cuil. à soupe d'huile d'olive
1 petit oignon, finement haché
2 cuil. à soupe de jus de citron
3 cuil. à soupe de pâte de sésame
2 cuil. à soupe de persil frais haché
sel et poivre
brins de persil frais, en garniture
crudités (page 36),
pain frais ou pain pita chaud,
en accompagnement

VARIANTE

L'ail fumé est absolument délicieux dans cette recette, utilisez-en si vous en trouvez. Il n'y a pas besoin de le faire rôtir, omettez donc l'étape 1. Cette sauce est délicieuse dans un sandwich.

1 Préchauffer le four à 200 °C (th. 6-7). Séparer les gousses d'ail, disposer sur une plaque de four et cuire au four préchauffé 8 à 10 minutes. Laisser tiédir quelques minutes.

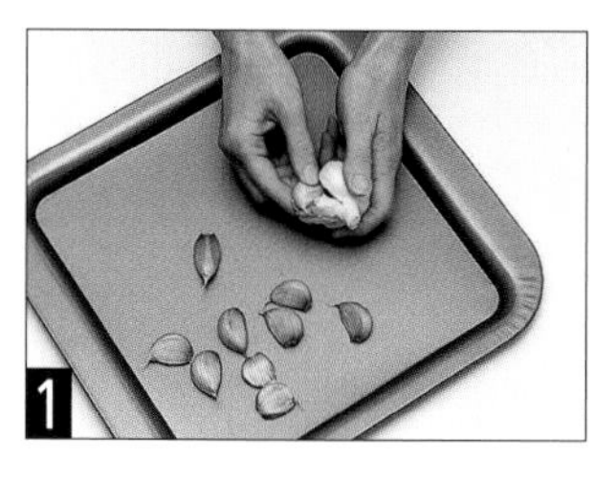

2 Peler les gousses d'ail et hacher finement.

3 Dans une poêle, chauffer l'huile, ajouter l'ail et l'oignon, et cuire 8 à 10 minutes à feu doux en remuant de temps en temps, jusqu'à ce qu'ils soient tendres. Retirer la poêle du feu.

4 Incorporer le jus de citron, la pâte de sésame et le persil, saler et poivrer selon son goût et transférer dans une terrine. Réserver au chaud.

5 Garnir de brins de persil et servir accompagné de crudités, de pain frais ou de pain pita chaud, selon son goût.

sauce à l'aubergine et au sésame

4 personnes

1 aubergine
4 à 6 cuil. à soupe d'huile d'olive
jus d'un ou 2 citrons
4 à 6 cuil. à soupe de pâte de sésame
1 ou 2 gousses d'ail, hachées
1 cuil. à café de graines de sésame

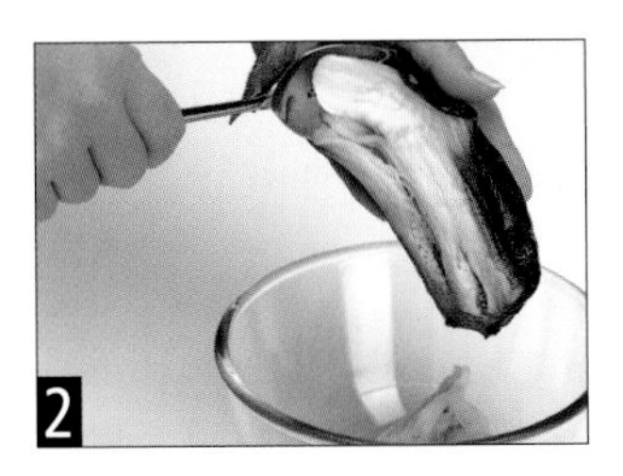

1 Passer l'aubergine au gril préchauffé en retournant fréquemment, jusqu'à ce que la peau noircisse et que la chair soit très tendre.

2 Transférer sur une planche à découper, laisser tiédir et transférer la chair dans une terrine. Réduire en purée à l'aide d'une fourchette.

3 Ajouter l'huile progressivement, le jus de citron, la pâte de sésame et l'ail, mélanger et rectifier l'assaisonnement et la consistance selon son goût.

4 Transférer la préparation obtenue dans un plat de service, couvrir de film alimentaire et réserver 30 minutes au réfrigérateur.

5 Dans une poêle chaude et sans matière grasse, faire griller les graines de sésame quelques secondes, parsemer l'aubergine et servir à température ambiante.

sauce aux haricots et à la menthe

6 personnes

75 g de haricots cannellini
1 petite gousse d'ail, hachée
1 botte d'oignons verts, grossièrement hachés
1 poignée de feuilles de menthe fraîche
2 cuil. à soupe de pâte de sésame
2 cuil. à soupe d'huile d'olive
1 cuil. à café de cumin en poudre
1 cuil. à café de coriandre en poudre
jus de citron
sel et poivre
brins de menthe fraîche, en garniture

ACCOMPAGNEMENT
crudités : chou-fleur en fleurettes, carottes, concombre, radis et poivrons en lanières

1 Mettre les haricots dans une terrine, couvrir d'eau et laisser tremper 4 heures ou toute une nuit.

2 Rincer les haricots, égoutter et mettre dans une casserole. Couvrir d'eau froide, porter à ébullition et laisser bouillir 10 minutes. Réduire le feu, couvrir et laisser mijoter jusqu'à ce qu'ils soient tendres.

3 Égoutter, transférer dans un robot de cuisine ou une terrine et ajouter l'ail, les oignons verts, la menthe, la pâte de sésame et l'huile d'olive. Mixer 15 secondes ou écraser le tout à l'aide d'une fourchette jusqu'à obtention d'une consistance lisse et homogène.

4 Transférer dans une terrine si nécessaire, incorporer le cumin, la coriandre et le jus de citron, et saler et poivrer selon son goût. Mélanger, couvrir de film alimentaire et réserver à température ambiante 30 minutes.

5 Transférer dans un plat de service, garnir de brins de menthe fraîche et disposer au centre d'un plateau garni de crudités. Servir immédiatement à température ambiante.

3

3

4

salsas mexicaines

4 à 6 personnes

SALSA DE FRUITS EXOTIQUES

½ ananas mûr, pelé, évidé et coupé en dés

1 mangue ou papaye, épépinée, pelée et coupée en dés

½ à 1 piment vert frais, jalapeño ou serrano, épépiné et haché

½ à 1 poivron rouge, haché

½ oignon rouge, haché

1 cuil. à soupe de sucre

jus d'un citron vert

3 cuil. à soupe de menthe fraîche hachée

sel

1 Pour la salsa de fruits exotiques, mélanger les ingrédients dans une terrine non métallique, saler selon son goût et couvrir. Réserver au réfrigérateur.

2 Pour la salsa relevée aux piments, faire griller le poivron et les piments dans une poêle sans matières grasses et laisser refroidir. Peler, épépiner et hacher. Mettre dans une terrine non métallique avec l'ail, le jus de citron vert, le sel et l'huile. Garnir d'origan et de cumin.

3 Pour la salsa verde, mélanger les ingrédients dans une terrine non métallique, saler selon son goût et mixer éventuellement dans un robot de cuisine.

1

3

4 à 6 personnes

SALSA RELEVÉE AUX PIMENTS

1 poivron vert

2 ou 3 piments verts, jalapeño ou serrano

2 gousses d'ail, finement hachées

jus d'un demi citron vert

1 cuil. à café de sel

2 à 3 cuil. à café d'huile d'olive vierge extra

1 pincée d'origan séché

1 pincé de cumin en poudre

SALSA VERDE

450 g de tomatillos en boîte, égouttées et concassées, ou des tomates fraîches, concassées

1 ou 2 piments verts, jalapeño ou serrano, épépinés et finement hachés

1 poivron vert ou un gros piment doux, Anaheim ou poblano, épépiné et haché

1 petit oignon, haché

1 botte de coriandre fraîche, finement ciselée

½ cuil. à café de cumin en poudre

sel

salsa au chipotle

pour une quantité de 480 ml

- 450 g de tomates mûres et juteuses, coupées en dés
- 3 à 5 gousses d'ail, finement hachées
- ½ botte de coriandre fraîche, grossièrement hachée
- 1 petit oignon, haché
- 1 à 2 cuil. à café de marinade adobo
- ½ à 1 cuil. à café de sucre
- jus de citron vert, selon son goût
- sel
- 1 pincée de cannelle en poudre (facultatif)
- 1 pincée de poivre de la Jamaïque (facultatif)
- 1 pincée de cumin en poudre (facultatif)

CONSEIL

Pour simplifier la préparation, les tomates fraîches peuvent être remplacées par 400 g de tomates concassées en boîte.

1 Dans un robot de cuisine, mettre les tomates, l'ail et la coriandre.

2 Réduire en purée et ajouter l'oignon, la marinade et le sucre.

3 Ajouter du jus de citron, saler selon son goût et incorporer la cannelle, le poivre de la Jamaïque et le cumin.

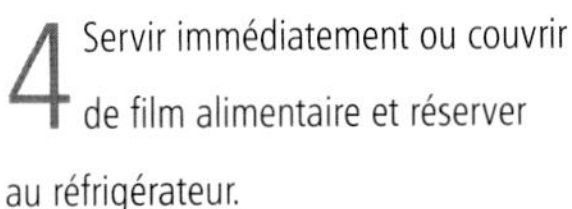

4 Servir immédiatement ou couvrir de film alimentaire et réserver au réfrigérateur.

nachos relevés à la salsa

4 personnes

1 ou 2 piments jalapeño frais
2 paquets de nachos
ou de chips de maïs
115 g de cheddar, râpé
2 cuil. à soupe de coriandre
finement hachée, en garniture

ACCOMPAGNEMENT
salsa de tomates
guacamole (page 18)
crème aigre

CONSEIL

Si vous ne trouvez pas de piment jalapeño frais, essayez de vous en procurer en boîtes ou en bocaux dans les grands supermarchés.

1 Préchauffer le four à 190 °C (th. 6-7) et couper les piments en rondelles.

2 Mettre les nachos ou les chips de maïs dans un plat allant au four, parsemer de rondelles de piment et garnir de fromage. Cuire au four préchauffé, 5 à 10 minutes, jusqu'à ce que le fromage soit fondant.

3 Retirer du four, garnir de coriandre et servir accompagné d'une salsa de tomates, de guacamole et de crème aigre.

bagna cauda

8 personnes

- 1 poivron jaune
- 3 branches de céleri
- 2 carottes
- 115 g de champignons
- ½ chou-fleur
- 1 bulbe de fenouil
- 1 botte de coriandre
- 2 petites betteraves, cuites et pelées
- 8 radis
- 225 g de pommes de terre nouvelles, blanchies
- 240 ml d'huile d'olive
- 5 gousses d'ail, hachées
- 50 g anchois à l'huile en boîte, égouttés et hachés
- 115 g de beurre
- pain italien, en accompagnement

1 Parer les légumes. Épépiner et émincer le poivron, couper le céleri en bâtonnets de 7,5 cm de long et couper les carottes julienne. Parer les champignons, séparer le chou-fleur en petites fleurettes et couper le fenouil en fins quartiers. Parer les oignons verts, couper les betteraves en huit et parer les radis. Couper les pommes de terre nouvelles en deux et disposer les légumes sur un plateau de service.

CONSEIL

Un appareil à fondue sera parfait pour servir ce plat car il permettra de maintenir la sauce chaude à table.

2 Dans une casserole, chauffer l'huile à feu très doux, ajouter l'ail et les anchois, et cuire à feu doux sans cesser de remuer jusqu'à ce que les anchois soient imbibés d'huile et d'ail, sans avoir doré.

3 Ajouter le beurre, laisser fondre et servir immédiatement avec du pain italien et les crudités préparées.

crudités et leur sauce à la crevette

4 personnes

750 g de fruits et de légumes, brocoli, chou-fleur, pomme, ananas, concombre, céleri, poivron et champignons, par exemple

SAUCE

60 g de crevettes séchées

½ à 1 cm de pâte de crevette

3 gousses d'ail, hachées

4 piments rouges frais, épépinés et hachés

6 brins de coriandre frais, grossièrement hachée

jus de 2 citrons

sauce de poisson thaïe, selon son goût

sucre roux, selon son goût

1 Pour la sauce, mettre les crevettes séchées dans une terrine, couvrir d'eau chaude et laisser tremper 10 minutes. Égoutter.

2 Mettre la pâte de crevette, les crevettes égouttées, l'ail, le piment et la coriandre dans un robot de cuisine et réduire en purée homogène.

3 Transférer dans une terrine et incorporer le jus de citron.

CONSEIL

Vous pouvez ajouter des œufs durs à cette préparation pour une touche spéciale, dédiée aux grandes occasions.

4 Ajouter la sauce de poisson thaïe et le sucre selon son goût, et mélanger.

5 Couvrir de film alimentaire et mettre au réfrigérateur 8 heures ou toute une nuit.

6 Disposer les fruits et les légumes sur un plateau de service et disposer la sauce au centre.

1

2

3

sauce crémeuse à l'aubergine

4 personnes

1 aubergine, pelée et coupée en dés de 2,5 cm
3 cuil. à soupe de graines de sésame, grillées dans une poêle sans matières grasses à feu doux
1 cuil. à café d'huile de sésame
zeste râpé et jus d'un demi citron vert
1 petite échalote, coupée en dés
1 cuil. à café de sucre
1 piment rouge frais, épépiné et émincé
sel et poivre
115 g de brocoli, en fleurettes
2 carottes, en julienne
8 mini épis de maïs, coupés en deux dans la longueur
2 branches de céleri, en julienne
1 petit chou rouge, coupé en 8 quartiers, les feuilles maintenues au cœur

VARIANTE

Utilisez les légumes que vous préférez ou que vous avez sous la main. Essayez par exemple du chou-fleur en fleurettes et du concombre en julienne.

1 Porter à ébullition une casserole d'eau, ajouter l'aubergine et cuire 7 à 8 minutes. Égoutter et laisser refroidir.

1

2 Écraser les graines de sésame avec l'huile de sésame dans un mortier ou un robot de cuisine.

3 Ajouter l'aubergine, le zeste et le jus de citron vert, l'échalote, le sucre et le piment, saler et poivrer selon son goût et réduire en purée.

3

4 Rectifier l'assaisonnement et transférer dans un plat de service.

4

5 Servir la sauce accompagné de brocoli, de carottes, de mini épis de maïs, de céleri et de chou rouge.

pâté de maquereau fumé

6 personnes

350 g de maquereau fumé, sans la peau et les arêtes
175 g de beurre, fondu
120 ml de crème fraîche épaisse
3 cuil. à soupe de jus de citron
sel et poivre
1 pincée de poivre de Cayenne

1 Dans un robot de cuisine, mixer le poisson avec la moitié du beurre de façon à obtenir une pâte.

2 Transférer la préparation obtenue dans une terrine, ajouter progressivement le beurre restant avec la crème fraîche et le jus de citron, et saler et poivrer selon son goût.

3 Transférer dans un plat de service, saupoudrer de poivre de Cayenne et couvrir de film alimentaire. Mettre au réfrigérateur 1 heure et servir.

ramequins de harengs

8 personnes

900 g de filet de hareng fumé
2 gousses d'ail, finement hachées
180 ml d'huile d'olive
6 cuil. à soupe de crème fraîche
sel et poivre
rondelles de citron, en garniture
biscuits d'apéritif,
en accompagnement

1 Dans une poêle, mettre le poisson, couvrir d'eau froide et porter à ébullition. Réduire le feu immédiatement et pocher 10 minutes, jusqu'à ce que le poisson soit tendre. Procéder éventuellement en plusieurs fois.

2 À l'aide d'une spatule, transférer le poisson sur une planche à découper, retirer la peau et émietter la chair à l'aide d'une fourchette. Ôter les arêtes restantes, transférer dans une casserole avec l'ail et cuire à feu doux en émiettant le poisson à l'aide d'une cuillère en bois.

3 Ajouter l'huile progressivement, en battant bien après chaque ajout, incorporer la crème fraîche et battre jusqu'à obtention d'une consistance homogène, sans laisser bouillir.

4 Retirer la poêle du feu, saler si nécessaire et poivrer selon son goût. Répartir la préparation obtenue dans des ramequins, couvrir et laisser refroidir complètement. Réserver au réfrigérateur.

5 Garnir de rondelles de citron et servir accompagné de biscuits d'apéritif.

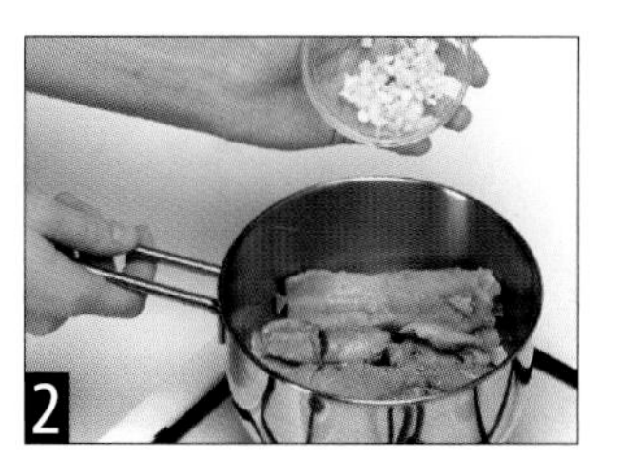

pâté de foies de poulet

8 personnes

2 cuil. à soupe d'huile d'olive
2 oignons, hachés
2 gousses d'ail, finement hachées
675 g de foies de poulet
3 cuil. à soupe de cognac
2 cuil. à soupe de persil frais haché
1 cuil. à soupe de sauge fraîche hachée
sel et poivre
340 g de fromage frais
brins de persil frais, en garniture

TOASTS MELBAS
8 tranches de pain de mie

1 Dans une poêle, chauffer l'huile à feu doux, ajouter les oignons et l'ail, et cuire 5 minutes en remuant de temps en temps, jusqu'à ce qu'ils soient tendres.

2 Ajouter les foies, cuire 5 minutes sans cesser de remuer, jusqu'à ce qu'ils soient légèrement dorés, et retirer la poêle du feu. Incorporer le cognac, le persil et la sauge, saler et poivrer selon son goût et laisser tiédir.

3 Transférer la préparation obtenue dans un robot de cuisine, mixer jusqu'à obtention d'une consistance homogène en raclant les bords du bol si nécessaire, et transférer dans une terrine. Couvrir de film alimentaire et laisser refroidir complètement.

4 Pour les toasts melbas, passer le pain au gril préchauffé des deux côtés de sorte qu'il soit légèrement grillé, retirer la croûte et couper chaque tranche en deux dans l'épaisseur. Faire griller le côté coupé jusqu'à ce que les bords se recourbent, laisser refroidir et réserver dans un récipient hermétique.

5 Incorporer le fromage frais à la préparation à base de foies, couvrir de film alimentaire et réserver au réfrigérateur. Transférer dans un plat de service, garnir de brins de persil et servir à température ambiante avec les toasts melbas.

2

2

4

hachis de poulet au jambon et au persil

4 personnes

225 g de poulet, sans la peau, désossé et cuit
100 g de jambon maigre
1 petit botte de persil
1 cuil. à café de zeste de citron vert râpé, un peu plus en garniture
2 cuil. à soupe de jus de citron vert
1 gousse d'ail, pelée
120 ml de yaourt nature allégé
sel et poivre
GARNITURE
quartiers de citron vert
toasts melbas (page 42)
mesclun

VARIANTE

Ce hachis peut être réalisé avec d'autres types de viande, comme la dinde, le porc ou le bœuf. Vous pouvez tout aussi bien utiliser des crevettes ou de la chair de crabe cuite, ou encore du thon en saumure, égoutté.

1 Couper le poulet en cubes, dégraisser le jambon si nécessaire et transférer dans un robot de cuisine.

2 Ajouter le persil, le zeste et le jus de citron vert et l'ail, et mixer finement, ou hacher finement le poulet, le jambon, le persil et l'ail, et incorporer progressivement le jus et le zeste de citron vert.

3 Transférer dans une terrine, incorporer le yaourt et saler et poivrer selon son goût. Couvrir de film alimentaire et mettre au réfrigérateur 30 minutes.

4 Répartir dans un plat de service, garnir de quartiers de citron vert et servir à température ambiante, accompagné de toasts melbas et de mesclun.

hachis de pommes de terre

4 personnes

100 g de pommes de terre, coupées en dés
225 g de haricots en boîte, égouttés
1 gousse d'ail, hachée
2 cuil. à café de jus de citron vert
1 cuil. à soupe de coriandre fraîche hachée, un peu plus en garniture
sel et poivre
2 cuil. à soupe de yaourt nature

CONSEIL

Servez ce hachis sur des toasts melbas (page 42) ou procurez-vous en dans le commerce pour plus de facilité. Vous pouvez également proposer un assortiment de crudités (page 36). Le hachis se conserve 2 jours au réfrigérateur.

1 Cuire les pommes de terre 10 minutes à l'eau bouillante, égoutter et réduire en purée.

2 Transférer dans un robot de cuisine avec les haricots, l'ail, le jus de citron vert et la coriandre, saler et poivrer selon son goût et mixer 1 minute, jusqu'à obtention d'une purée homogène, ou mélanger le tout et écraser à l'aide d'une fourchette.

3 Transférer dans une terrine, ajouter le yaourt et mélanger.

4 Transférer dans un plat de service, couvrir de film alimentaire et réserver au réfrigérateur.

Garnir de coriandre hachée et servir à température ambiante.

hachis à l'ail et au fromage

4 personnes

1 cuil. à soupe de beurre
1 gousse d'ail, hachée
3 oignons verts, finement hachés
120 g de fromage frais
2 cuil. à soupe de mélange de fines herbes : persil, ciboulette, marjolaine, origan et basilic
175 g de cheddar affiné, finement haché
4 à 6 tranches de pain blanc
mesclun et salade de tomates, en accompagnement

GARNITURE
paprika en poudre
brins de fines herbes

1 Dans une poêle, faire fondre le beurre à feu doux, ajouter l'ail et les oignons verts, et cuire 3 à 4 minutes, jusqu'à ce qu'ils soient tendres. Laisser refroidir.

2 Dans une terrine, battre le fromage frais, ajouter l'ail et les oignons verts, et incorporer les fines herbes.

3 Ajouter le cheddar, mélanger jusqu'à obtention d'une consistance homogène et couvrir. Réserver au réfrigérateur.

4 Faire griller les tranches de pain des deux côtés, retirer la croûte et couper en deux dans l'épaisseur de façon à obtenir de fines tranches. Couper en triangles et faire griller le côté coupé, jusqu'à ce qu'il soit doré.

5 Répartir le mesclun et les tomates sur des assiettes, garnir de hachis et saupoudrer de paprika. Garnir de fines herbes et servir accompagné de toasts.

2

3

4

cake aux lentilles

4 personnes

1 cuil. à soupe d'huile, un peu plus pour graisser
1 oignon, haché
2 gousses d'ail, hachées
1 cuil. à café de garam masala
½ cuil. à café de coriandre en poudre
840 ml de bouillon de légumes
200 g de lentilles rouges, hachées
1 petit œuf
2 cuil. à soupe de lait
2 cuil. à soupe de chutney de mangue
2 cuil. à soupe de persil frais haché, un peu plus en garniture
ACCOMPAGNEMENT
mesclun
toasts, chauds

VARIANTE

Utilisez d'autres épices, tels que le poudre de piment ou la poudre de cinq-épices chinoise, pour aromatiser le mélange. Vous pouvez remplacer le chutney par de la sauce tomate ou de la salsa.

1 Préchauffer le four à 200 °C (th. 6-7). Huiler et chemiser un moule d'une contenance de 450 g. Dans une casserole, chauffer l'huile, ajouter l'oignon et l'ail, et cuire 2 à 3 minutes, sans cesser de remuer. Ajouter le garam masala et la coriandre, et cuire encore 30 secondes.

2 Mouiller avec le bouillon, ajouter les lentilles et porter à ébullition. Réduire le feu, laisser mijoter 20 minutes à feu doux, jusqu'à ce que les lentilles soient tendres, et retirer la casserole du feu. Égoutter la préparation obtenue.

3 Transférer la préparation dans un robot de cuisine, ajouter l'œuf, le lait, le chutney et le persil, et mixer jusqu'à obtention d'une consistance lisse.

4 Transférer dans le moule à l'aide d'une cuillère, lisser la surface et cuire au four préchauffé, 40 à 45 minutes, jusqu'à ce que le cake soit ferme au toucher.

5 Laisser refroidir 20 minutes dans le moule et mettre au réfrigérateur.

6 Démouler sur un plateau de service, couper en tranches et garnir de persil haché. Servir accompagné de mesclun et de toasts.

2

3

4

pâté aux champignons et aux châtaignes

8 personnes

- 225 g de châtaignes séchées, trempées toute la nuit
- 50 g de champignons porcini séchés
- 4 cuil. à soupe d'eau chaude
- 4 cuil. à soupe de marsala
- 1 cuil. à soupe d'huile d'olive
- 675 g de champignons cremini, coupés en rondelles
- 1 cuil. à soupe de vinaigre balsamique
- 1 cuil. à soupe de persil frais haché
- 1 cuil. à soupe de sauce de soja
- sel et poivre
- radis émincés, en garniture
- toasts de pain complet ou pain frais, en accompagnement

1 Égoutter les châtaignes, mettre dans une casserole et couvrir d'eau. Porter à ébullition, réduire le feu et couvrir. Laisser mijoter 45 minutes, jusqu'à ce qu'ils soient tendres, égoutter et réserver.

2 Mettre les champignons porcini dans une terrine, ajouter 1 cuillerée à soupe de marsala et l'eau chaude, et laisser tremper 20 minutes. Égoutter, réserver le liquide de trempage et sécher les champignons à l'aide de papier absorbant. Passer le liquide de trempage au tamis ou avec un filtre à café.

3 Dans une poêle, chauffer l'huile, ajouter les champignons cremini et cuire 5 minutes à feu doux en remuant de temps en temps, jusqu'à ce qu'il soit tendre.

3

4 Ajouter les champignons porcini, le liquide de trempage et le vinaigre, cuire 1 minute sans cesser de remuer et augmenter le feu. Incorporer le marsala restant, cuire encore 3 minutes en remuant fréquemment et retirer du feu.

5 Transférer les châtaignes dans un robot de cuisine, réduire en purée et ajouter la préparation à base de champignons avec le persil. Réduire en purée onctueuse, ajouter la sauce de soja et saler et poivrer selon son goût. Mixer de nouveau rapidement.

5

6 Transférer dans un plat de service, couvrir et réserver au réfrigérateur. Garnir de rondelles de radis et servir à température ambiante accompagné de toasts ou de pain frais.

hachis aux noix, aux œufs et au fromage

4 personnes

1 branche de céleri
1 ou 2 oignons verts
25 g de cerneaux de noix
1 cuil. à soupe de persil frais haché
1 cuil. à café d'aneth fraîche hachée
ou ½ cuil. à café d'aneth séchée
1 gousse d'ail, hachée
1 trait de sauce worcester
120 ml de fromage blanc
55 g de bleu
1 œuf dur, écalé
sel et poivre
2 cuil. à soupe de beurre
fines herbes, en garniture
toasts, pain frais
ou crudités (page 36),
en accompagnement

CONSEIL

Vous pouvez utiliser cette préparation pour farcir des légumes : évider des tomates et garnir de farce ou garnir des branches de céleri de 5 cm de longueur.

1 Hacher le céleri, émincer finement les oignons verts et hacher les noix. Mélanger dans une terrine.

2 Ajouter les fines herbes, l'ail et la sauce worcester, mélanger et incorporer le fromage blanc de façon homogène.

3 Émietter finement le bleu et l'œuf dur, ajouter dans la terrine et saler et poivrer selon son goût.

4 Faire fondre le beurre, incorporer à la préparation et transférer dans un plat de service ou des petits plats individuels. Lisser la surface sans presser, couvrir et réserver au réfrigérateur.

5 Garnir de fines herbes et servir à température ambiante accompagné de toasts, de pain frais ou de crudités.

1

2

4

hachis aux olives noires

4 personnes

130 g d'olives noires juteuses
1 gousse d'ail, hachée
zeste finement râpé d'un citron
4 cuil. à soupe de jus de citron
50 g de chapelure fraîche
60 ml de fromage frais
sel et poivre
quartiers de citron, en garniture
ACCOMPAGNEMENT
tranches de pain épaisses
mélange d'huile d'olive
et de beurre

1 Concasser les olives, mettre dans une terrine et ajouter l'ail, le zeste et le jus de citron, la chapelure et le fromage frais. Piler dans un mortier jusqu'à obtention d'une consistance onctueuse ou mixer dans un robot de cuisine et saler et poivrer selon son goût.

2 Réserver le hachis dans un bocal hermétique et laisser macérer quelques heures.

3 Découper des petits ronds dans les tranches de pain à l'aide d'un emporte-pièce.

4 Dans une poêle, chauffer l'huile et le beurre, ajouter le pain et cuire jusqu'à ce qu'il soit doré. Retirer de la poêle à l'aide d'une écumoire et égoutter sur du papier absorbant.

5 Garnir chaque rond de pain de hachis et de quartiers de citron, et servir immédiatement. Le hachis se conserve 2 jours au frais.

1

3

4

hachis au thon et aux anchois

6 personnes

50 g d'anchois en boîte, égouttés
400 g de thon en saumure, égoutté
180 ml de fromage frais allégé
120 ml de fromage blanc allégé
1 cuil. à soupe de sauce au raifort
½ cuil. à café de zeste d'orange râpé
poivre blanc
4 tranches de pain épaisses

GARNITURE
rondelles d'orange
brins d'aneth fraîche

1 Séparer les anchois et sécher avec du papier absorbant de façon à retirer l'excédent d'huile.

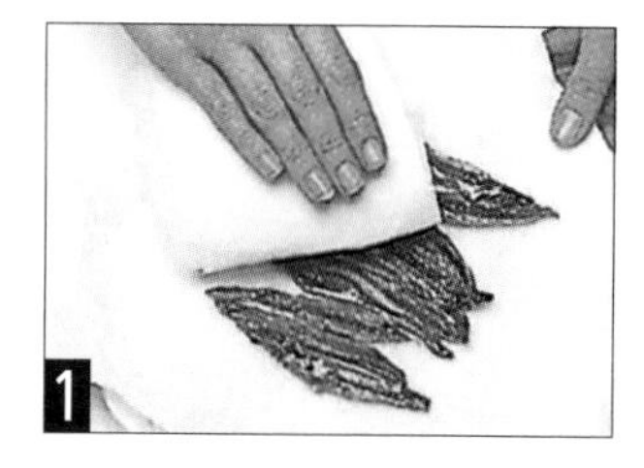

2 Mettre les anchois, le thon, les fromages, la sauce au raifort et le zeste d'orange dans un robot de cuisine, poivrer selon son goût et mixer quelques secondes, jusqu'à obtention d'une consistance homogène, ou hacher les anchois, émietter le thon et battre avec les autres ingrédients de façon à obtenir une consistance plus épaisse.

3 Transférer dans une terrine, couvrir et mettre au réfrigérateur 1 heure.

4 Passer les tranches de pain au gril préchauffé 2 à 3 minutes de chaque côté, jusqu'à ce qu'elles soient légèrement dorées.

5 À l'aide d'un couteau tranchant, couper les tranches de pain en deux dans la longueur de façon à obtenir de très fines tranches.

6 Préchauffer le four à 150 °C (th. 5). Découper des ronds dans le pain à l'aide d'un emporte pièce de 5 cm de diamètre ou couper chaque tranche de pain en triangles, et cuire au four préchauffé 15 à 20 minutes, jusqu'à ce qu'ils soient croustillants.

7 Répartir le hachis des assiettes, garnir de rondelles d'orange et d'aneth, et servir accompagné de toasts.

sauce à l'aubergine grillée

4 personnes

2 petites aubergines
2 cuil. à soupe d'huile d'olive
jus d'un citron
4 cuil. à soupe de pâte de sésame
2 gousses d'ail, hachées
rondelles de concombre, en garniture
ACCOMPAGNEMENT
julienne de carottes et de céleri
pain pita, chaud

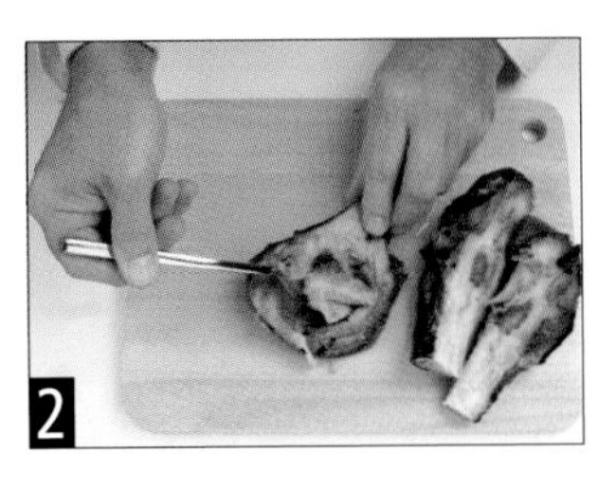

1 Passer les aubergines au gril préchauffé 10 minutes en retournant fréquemment, jusqu'à ce que la peau noircisse et que les aubergines soient tendres.

2 Retirer les aubergines du gril, laisser refroidir et couper en deux dans la longueur. Transférer la chair dans une terrine à l'aide d'une petite cuillère et réduire en purée à l'aide d'une fourchette.

3 Ajouter progressivement l'huile d'olive, le jus de citron et la pâte de sésame, incorporer l'ail et mélanger le tout. Rectifier l'assaisonnement selon son goût.

4 Transférer dans un plat de service, garnir de rondelles de concombre et servir accompagné de julienne de carottes et de céleri, et de pain pita chaud.

pâté de haricots à la ricotta

8 personnes

800 g de haricots en boîte, égouttés
360 ml de ricotta
2 gousses d'ail, concassées
4 cuil. à soupe de jus de citron
115 g de beurre, fondu
3 cuil. à soupe de persil plat frais haché
sel et poivre
huile de maïs, pour graisser
ACCOMPAGNEMENT
brins de persil plat frais
quartiers de citron
gressins au fromage

1 Mettre les haricots, la ricotta, l'ail, le jus de citron et le beurre fondu dans un robot de cuisine et réduire en purée. Ajouter le persil, saler et poivrer selon son goût et mixer de nouveau très rapidement.

VARIANTE

Pour une variante plus légère, remplacez la ricotta par du fromage frais.

2 Huiler un cercle à entremet, transférer la préparation dans le moule et lisser la surface. Couvrir de film alimentaire et mettre au réfrigérateur jusqu'à ce qu'il ait pris.

3 Retourner le pâté dans un plat de service, garnir le centre de feuilles de persil plat et servir accompagné de quartiers de citron et de gressins au fromage.

Tourtes et tartes

Chaque type de pâte a sa particularité et un type de garniture adapté. Pour une délicieuse pâte brisée, choisissez une garniture luxueuse, comme celle de la quiche aux asperges et au fromage de chèvre (page 68) ou de la tarte au brocoli et aux noix de cajou (page 65). Les pâtes feuilletées croustillantes et légères s'accommoderont aux mieux de petits légumes, tels le feuilleté aux épinards et aux pommes de terre (page 78) et la tarte provençale (page 82). Quant à la pâte filo, elle appelle une garniture finement épicée comme les triangles au crabe et au gingembre (page 97) et les samosas de légumes (page 92). Il ne faut pas oublier les petits amuse-gueule, qui vont des sablés au fromage (page 101) aux losanges au cumin (page 102). Ces petites recettes mettront l'eau à la bouche de vos invités, qui ne pourront qu'être impressionnés de toutes ces mignardises croustillantes.

tarte à l'oignon

4 personnes

250 g de pâte brisée prête
à l'emploi, décongelée
si nécessaire
farine, pour saupoudrer
3 cuil. à soupe de beurre
75 g de lard, émincé
700 g d'oignons, finement hachés
2 œufs, battus
50 g de parmesan, fraîchement
haché
1 cuil. à café de sauge séchée
sel et poivre

VARIANTE

Si vous préférez, utilisez plutôt des oignons rouges et remplacez la sauge séchée par du thym ou de l'origan.

1 Sur un plan fariné, abaisser la pâte pour foncer un moule à tarte à fond amovible de 24 cm de diamètre, piquer à l'aide d'une fourchette et couvrir. Mettre au réfrigérateur 30 minutes.

2 Préchauffer le four à 180 °C (th. 6). Dans une casserole, chauffer le beurre, ajouter le lard et les oignons, et cuire 25 minutes à feu doux, jusqu'à ce qu'ils soient très tendres, en ajoutant 1 cuillerée à soupe d'eau s'ils commencent à brunir.

3 Ajouter les œufs battus, la sauge et le parmesan, saler et poivrer selon son goût et répartir la préparation obtenue dans le fond de tarte.

4 Cuire au four préchauffé, 20 à 30 minutes, jusqu'à ce que la garniture ait pris et que la pâte soit croustillante et dorée, laisser tiédir et démouler. Servir chaud ou froid.

tartelettes à l'ail et aux pignons

4 personnes

- 4 tranches de pain de mie complet
- 40 g de pignons
- 150 g de beurre
- 5 gousses d'ail, pelées et coupées en deux
- 2 cuil. à soupe d'origan frais haché, un peu plus en garniture
- 4 olives noires dénoyautées, coupées en deux

1 Préchauffer le four à 200 °C (th. 6-7). À l'aide d'un rouleau à pâtisserie, aplatir légèrement le pain et découper 12 ronds à l'aide d'un emporte-pièce de 10 cm de diamètre pour foncer des moules à tartelette. Réserver les chutes et mettre 10 minutes au réfrigérateur.

2 Répartir les pignons sur une plaque de four et passer au gril préchauffé 2 à 3 minutes, jusqu'à ce qu'ils soient légèrement dorés, sans laisser brûler.

3 Dans un robot de cuisine, mettre les chutes de pain, les pignons, le beurre, l'ail et l'origan, et mixer 20 secondes, ou piler dans un mortier jusqu'à obtention d'une consistance épaisse.

4 Répartir la préparation obtenue dans les fonds de tartelettes, garnir de moitiés d'olives et cuire au four préchauffé 10 à 15 minutes, jusqu'à ce que la garniture soit légèrement dorée.

1

3

4

5 Répartir sur des assiettes, garnir de feuilles d'origan et servir chaud.

tartelettes au pesto et au fromage de chè

pour 20 tartelettes

- 200 g de pâte feuilletée prête à l'emploi, décongelée si nécessaire
- farine, pour saupoudrer
- 3 cuil. à soupe de pesto
- 20 tomates cerises, coupées en trois
- 115 g de fromage de chèvre
- sel et poivre
- brins de basilic frais, en garniture

CONSEIL

Ces tartelettes sont encore plus rapide à préparer si vous vous procurez de la pâte feuilletée déjà abaissée, disponible dans les supermarchés.

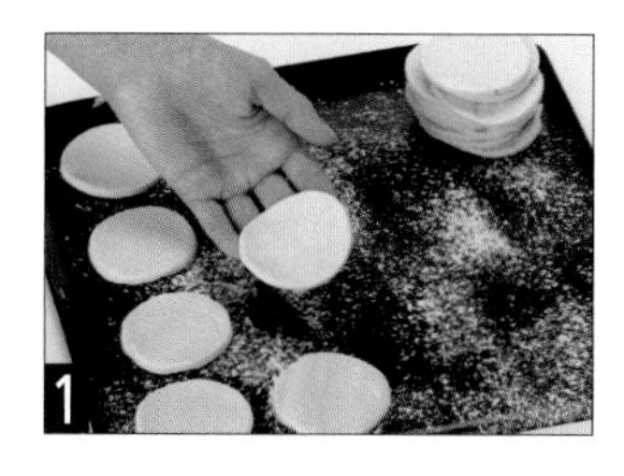

1 Préchauffer le four à 200 °C (th. 6-7) et fariner légèrement une plaque de four. Sur un plan fariné, abaisser la pâte de sorte qu'elle ait 3 mm d'épaisseur, couper 20 ronds de pâte à l'aide d'un emporte-pièce de 5 cm de diamètre et disposer sur la plaque de four.

2 Napper les ronds de pâte de pesto en laissant une marge et garnir de 3 tranches de tomates cerises.

3 Émietter le fromage de chèvre sur les tomates, saler et poivrer selon son goût et cuire au four préchauffé, 10 minutes, jusqu'à ce que la pâte ait levé et qu'elle soit dorée et croustillante. Garnir de brins de basilic et servir immédiatement.

tartelettes au fromage et à l'oignon

12 personnes

PÂTE BRISÉE
75 g de farine, un peu plus pour saupoudrer
¼ de cuil. à café de sel
5 cuil. à soupe ½ de beurre
1 à 2 cuil. à soupe d'eau

GARNITURE
1 œuf, battu
80 ml de crème fraîche allégée
50 g de Leicester, râpé
3 oignons verts, hachés
sel
poivre de Cayenne

CONSEIL

Si vous utilisez 175 g de pâte à tarte prête à l'emploi au lieu de la faire vous-même, la confection de ces tartelettes n'est qu'une question de minutes.

1 Pour la pâte, tamiser la farine et le sel dans une terrine, ajouter le beurre avec les doigts de façon à obtenir une consistance de chapelure et incorporer l'eau. Malaxer jusqu'à obtention d'une pâte souple, façonner une boule et couvrir de film alimentaire. Mettre au réfrigérateur 30 minutes.

2 Préchauffer le four 180 °C (th. 6). Sur un plan fariné, abaisser la pâte, couper 12 ronds de pâte à l'aide d'un emporte-pièce de 7,5 de diamètre et foncer les moules à tartelettes.

3 Pour la garniture, battre l'œuf, la crème fraîche, le fromage et les oignons verts, saler et poivrer selon son goût et répartir délicatement dans chaque fond de tarte. Cuire au four préchauffé, 20 à 25 minutes, jusqu'à ce que la garniture soit prise et que la pâte soit dorée. Servir chaud ou froid.

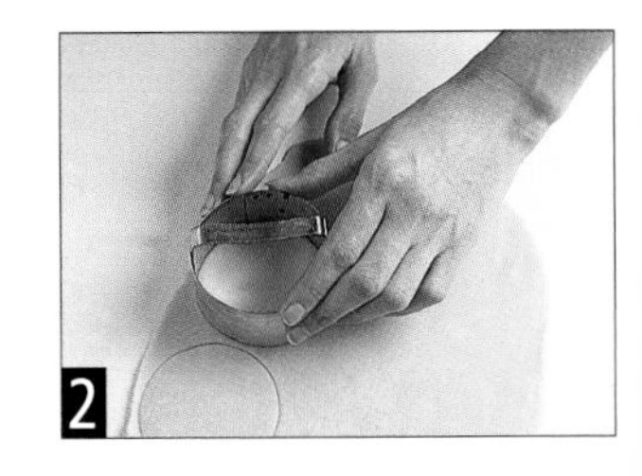
2

3

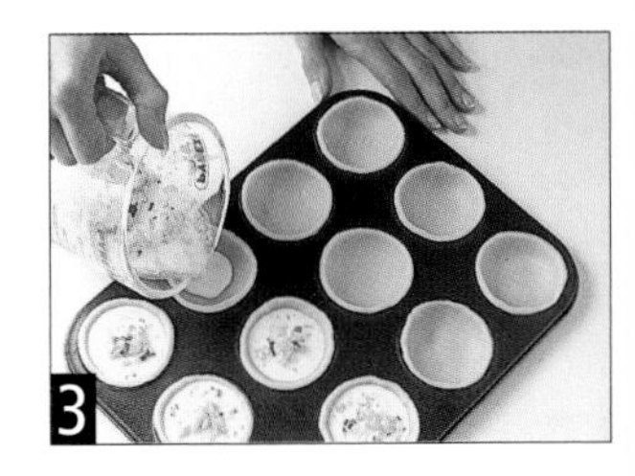
3

tartelettes à la grecque

pour 12 tartelettes

beurre, pour graisser
farine, pour saupoudrer
pâte brisée (page 62)
1 œuf
3 jaunes d'œufs
300 ml de crème fraîche épaisse
sel et poivre
115 g de féta
6 olives noires, dénoyautées et coupées en deux
12 petits brins de romarin frais

1 Préchauffer le four à 200 °C (th. 6-7) et graisser 12 moules à tartelettes de 6 cm de diamètre. Sur un plan fariné, abaisser la pâte de sorte qu'elle ait 3 mm d'épaisseur, couper 12 ronds de pâte à l'aide d'un emporte-pièce pour foncer les moules et piquer à l'aide d'une fourchette.

2 Mettre l'œuf, les jaunes d'œufs et la crème fraîche dans une terrine, saler et poivrer selon son goût et battre.

1

CONSEIL

La féta est salée, il n'y a donc pas besoin d'ajouter beaucoup de sel à l'étape 2, dans la préparation à base d'œuf.

3 Émietter la féta dans les fonds de tartelettes, répartir la préparation et garnir d'olive et de romarin.

2

Cuire au four préchauffé, 15 minutes, jusqu'à ce que la garniture soit prise, et servir chaud ou froid.

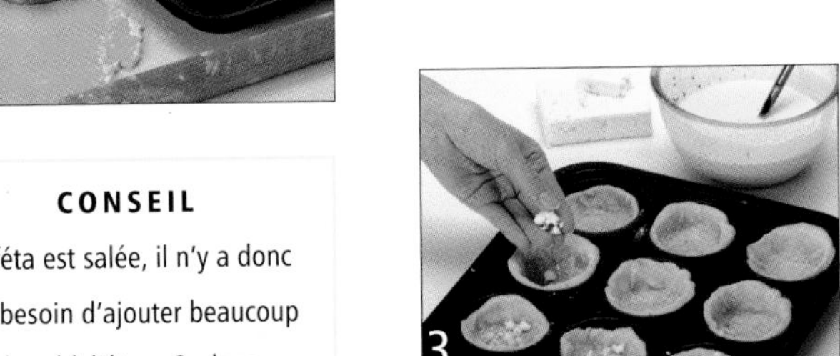
3

tarte au brocoli et aux noix de cajou

6 à 8 personnes

225 g de pâte brisée prête à l'emploi, décongelée si nécessaire
40 g de farine, un peu plus pour saupoudrer
450 g de brocoli, en fleurettes
sel et poivre
75 g de noix de cajou non salées, concassées
55 g de beurre
60 ml de lait
85 g de fromage, cheddar, gruyère, emmental ou parmesan, par exemple, grossièrement râpé
1 œuf, blanc et jaune séparés
1 pincée de poivre de Cayenne

1 Préchauffer le four à 200 °C (th. 6-7). Sur un plan fariné, abaisser la pâte pour foncer un moule à tarte à fond amovible de 23 cm de diamètre, cuire à blanc et retirer du four. Laisser reposer.

2 Cuire le brocoli à la vapeur 5 minutes, répartir sur le fond de tarte et saler et poivrer selon son goût. Parsemer de noix de cajou.

3 Dans une poêle, faire fondre le beurre, incorporer la farine et verser progressivement le lait sans cesser de remuer jusqu'à ce que la sauce ait épaissi. Saler et poivrer, ajouter le fromage et laisser fondre.

2

3

4

4 Incorporer 2 cuillerées à soupe de la préparation précédente au jaune d'œuf, ajouter le mélange dans la casserole et remuer. Retirer du feu, battre le blanc d'œuf et incorporer dans la casserole. Répartir la sauce sur les brocolis, parsemer de poivre de Cayenne et disposer sur une plaque de four. Cuire au four préchauffé, 20 minutes, retirer du four et laisser reposer 5 minutes. Couper et servir.

tartelettes au fromage de chèvre et à l'huître

pour 20 tartelettes

- 75 g de farine, un peu plus pour saupoudrer
- 1 pincée de sel
- 100 g de beurre, coupé en dés, un peu plus pour graisser
- 1 jaune d'œuf
- 1 oignon, haché
- 12 huîtres, rincées
- 2 cuil. à soupe de persil frais haché
- sel et poivre
- 200 g de fromage de chèvre, émietté
- brins de persil frais ciselés, en garniture

1 Tamiser la farine et le sel dans une terrine, incorporer 90 g du beurre et ajouter le jaune d'œuf de façon à obtenir une pâte, en ajoutant un peu d'eau si nécessaire. Façonner une boule, déposer sur un plan fariné et abaisser la pâte de sorte qu'elle ait 5 mm d'épaisseur. Graisser 12 moules à tartelettes de 7 cm de diamètre, foncer les moules et lisser les bords. Mettre au réfrigérateur 45 minutes, de façon à éviter que la pâte rétrécisse.

1

2 Cuire les fonds de tartelettes au four préchauffé, à 200 °C (th. 6-7), 10 minutes, jusqu'à ce qu'elles soient dorées.

3 Dans une casserole, chauffer le beurre restant, ajouter l'oignon et cuire 4 minutes sans cesser de remuer. Retirer les huîtres de leur coquille, ajouter dans la casserole avec le persil et saler et poivrer selon son goût. Cuire encore 1 minute.

3

4 Retirer les fonds de tartelettes du four, répartir 100 g de fromage de chèvre et garnir de préparation à base d'huître. Émietter le fromage restant, cuire au four préchauffé, 10 minutes, et garnir de persil.

4

quiche aux asperges et au fromage de chèvre

6 personnes

250 g de pâte brisée prête à l'emploi, décongelée si nécessaire
farine, pour saupoudrer
250 g d'asperges
1 cuil. à soupe d'huile
1 oignon rouge, finement haché
40 g de noisettes, concassées
200 g de fromage de chèvre
2 œufs, battus
4 cuil. à soupe de crème fraîche allégée
sel et poivre

VARIANTE

N'utilisez pas de noisettes et parsemez de parmesan juste avant de mettre au four, si vous préférez.

1 Sur un plan fariné, abaisser la pâte pour foncer un moule à tarte à fond amovible de 24 cm de diamètre, piquer le fond à l'aide d'une fourchette et couvrir. Mettre au réfrigérateur 30 minutes.

2 Préchauffer le four à 190 °C (th. 6-7), chemiser le fond de tarte de papier d'aluminium et couvrir de haricots secs. Cuire au four préchauffé, 15 minutes. Retirer l'aluminium et cuire encore 15 minutes.

2

3 Cuire les asperges 2 à 3 minutes à l'eau bouillante, égoutter et couper en tronçons. Dans une poêle, chauffer l'huile, ajouter l'oignon et faire revenir à feu doux en remuant de temps en temps, jusqu'à ce qu'il soit tendre et doré. Disposer dans le fond de tarte avec les asperges et les noisettes.

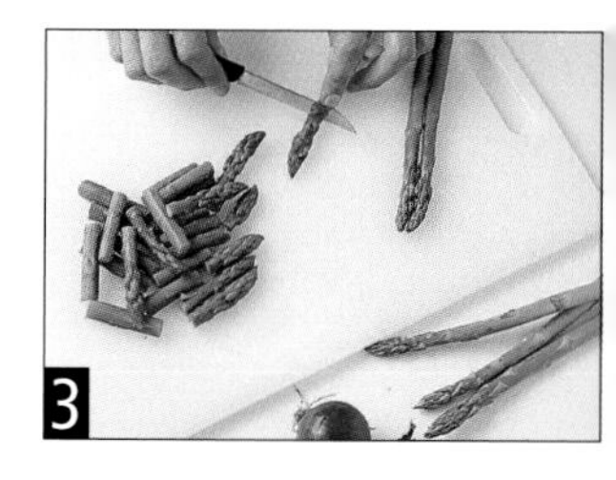
3

4 Dans une terrine, battre le fromage de chèvre, les œufs et la crème fraîche ou mixer jusqu'à obtention d'une consistance onctueuse. Saler et poivrer selon son goût, verser dans le fond de tarte et cuire au four préchauffé, 15 à 20 minutes, jusqu'à ce que la garniture ait pris. Servir chaud ou froid.

4

tartelettes mexicaines

4 personnes

8 à 10 cuil. à soupe de masa harina (farine de maïs)
3 cuil. à café de farine
1 pincée de levure chimique
250 ml d'eau
huile, pour la friture
225 g de haricots pinto en boîte, chauds
1 avocat, dénoyauté, pelé et coupé en dés, mélangé à du jus de citron vert
85 g de fromage frais ou de féta émiettée
salsa
2 oignons verts, finement émincés

GARNITURE
brins de persil frais
quartiers de citron

1 Dans une terrine, mélanger la masa harina, la farine et la levure, et ajouter de l'eau de façon à obtenir une pâte homogène.

2 Prélever une noix de pâte, façonner un fond de tarte le plus fin possible avec les doigts et répéter l'opération avec la pâte restante.

3 Dans une poêle, chauffer l'huile de friture jusqu'à ce qu'elle soit fumante, ajouter quelques fonds de tartelettes et cuire en versant de l'huile au centre et en les retournant une fois, jusqu'à ce qu'ils soient dorés uniformément.

2

4

5

4 À l'aide d'une écumoire, retirer de la poêle, égoutter sur du papier absorbant et disposer sur une plaque de four. Réserver au chaud et répéter l'opération avec la pâte restante.

5 Garnir les fonds de tartelettes de haricots chauds, d'avocat, de fromage, de salsa et d'oignons verts. Servir garni de persil, avec des quartiers de citron.

tourte aux champignons et aux noix du brésil

4 personnes

125 g de farine complète, un peu plus pour saupoudrer
100 g de beurre ou de margarine, coupés en dés
4 cuil. à soupe d'eau
lait, pour dorer

GARNITURE

1 cuil. à soupe de beurre ou de margarine
1 oignon, haché
1 gousse d'ail, finement hachée
125 g de champignons de Paris, émincés
1 cuil. à soupe de farine
160 ml de bouillon
1 cuil. à soupe de concentré de tomates
100 g de noix du Brésil, concassées
140 g de chapelure complète fraîche
2 cuil. à soupe de persil frais haché
½ cuil. à café de poivre

1 Pour la pâte, tamiser la farine dans une terrine, ajouter les résidus restés dans le tamis et incorporer le beurre avec les doigts de façon à obtenir une consistance de chapelure. Ajouter de l'eau, malaxer jusqu'à obtention d'une pâte homogène et couvrir de film alimentaire. Mettre au réfrigérateur 30 minutes.

2 Préchauffer le four à 200 °C (th. 6-7). Pour la garniture, faire fondre le beurre à feu doux dans une casserole, ajouter l'oignon, l'ail et les champignons, et cuire 5 minutes, jusqu'à ce que le tout soit tendre. Ajouter la farine, cuire 1 minute sans cesser de remuer et mouiller progressivement avec le bouillon sans cesser de remuer jusqu'à ce que la sauce épaississe. Incorporer le concentré de tomates, les noix, la chapelure, le persil et le poivre, retirer du feu et laisser tiédir.

3 Sur un plan fariné, abaisser deux tiers de la pâte pour chemiser un moule à tarte à fond amovible de 20 cm de diamètre, répartir la garniture dans le fond de tarte et enduire les bordures de pâte de lait. Abaisser la pâte restante de sorte qu'elle couvre la garniture, presser les bords et pratiquer une entaille au sommet de la pâte de sorte qu'elle puisse laisser sortir la vapeur. Enduire de lait. Cuire au four préchauffé, 30 à 40 minutes, et servir chaud.

triangles aux épinards et à la pomme de terre

4 personnes

2 cuil. à soupe de beurre, fondu, un peu plus pour graisser
225 g de pommes de terre, finement hachées
500 g de pousses d'épinards
2 cuil. à soupe d'eau
1 tomate, épépinée et hachée
¼ de cuil. à café de poudre de piment
½ cuil. à café de jus de citron
sel et poivre
225 g (8 feuilles) de pâte filo, décongelée si nécessaire
salade croquante, en garniture

MAYONNAISE AU CITRON
160 ml de mayonnaise
2 cuil. à café de jus de citron
zeste d'un citron

1 Préchauffer le four à 190 °C (th. 6-7) et beurrer légèrement une plaque de four.

2 Porter à ébullition une casserole d'eau légèrement salée, ajouter les pommes de terre et cuire 10 minutes, jusqu'à ce qu'elles soient tendres. Égoutter et mettre dans une terrine.

3 Dans une casserole, mettre les épinards avec l'eau, couvrir et cuire 2 minutes à feu doux en remuant de temps en temps, jusqu'à ce que les feuilles aient flétri.

4 Incorporer la tomate, la poudre de piment et le jus de citron, et saler et poivrer selon son goût.

5 Enduire les feuilles de pâte filo de beurre fondu, étaler 4 feuilles et superposer les 4 autres feuilles. Couper en rectangles de 20 x 10 cm.

6 Déposer une portion de garniture à base de pommes de terre et d'épinards à une extrémité de chaque rectangle, replier un coin de la pâte sur la garniture et replier le triangle obtenu sur lui-même, pointe vers le bas. Répéter l'opération de façon à obtenir un triangle.

7 Disposer les triangles sur la plaque de four beurrée et cuire au four préchauffé, 20 minutes, jusqu'à ce qu'ils soient dorés.

8 Mélanger la mayonnaise, le jus de citron et le zeste, et servir les triangles chauds ou froids, accompagnés de la mayonnaise au citron et de feuilles de salade croquante.

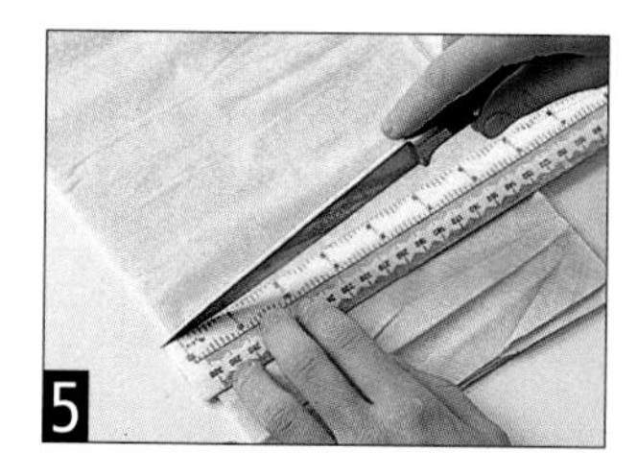
5

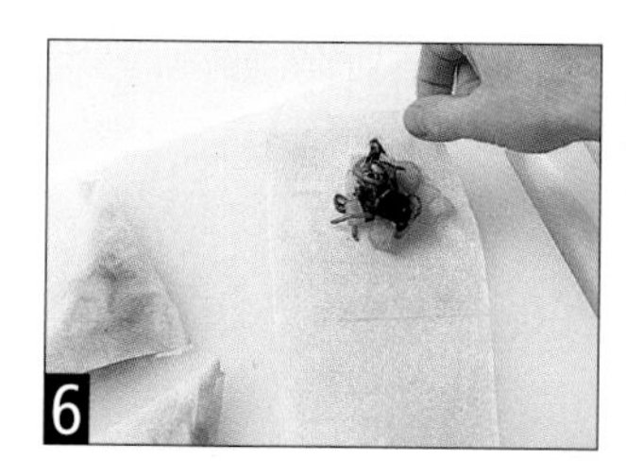
6

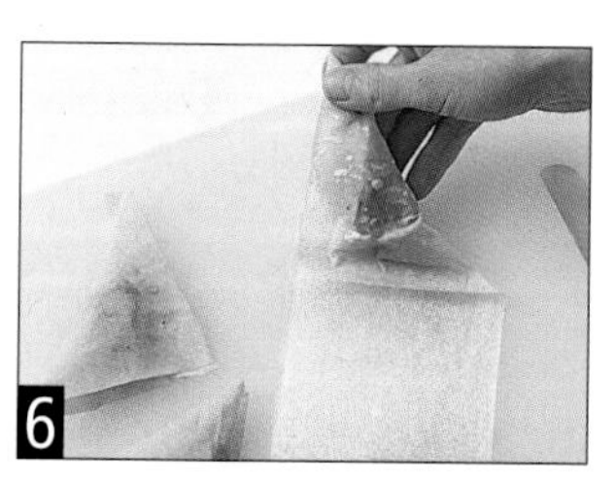
6

tartelettes à la salsa d'avocats

pour 20 tartelettes

FONDS DE TARTELETTES
2 feuilles de pâte filo (20 x 30 cm), décongelées si nécessaire
3 cuil. à soupe de beurre fondu, un peu plus pour graisser

SALSA D'AVOCATS
1 gros avocat
1 petit oignon rouge, finement haché
1 piment frais, épépiné et finement haché
2 tomates, pelées, épépinées et finement hachées
jus d'un citron vert
2 cuil. à soupe de coriandre fraîche hachée
sel et poivre

CONSEIL

Les fonds de tarte peuvent être confectionnés une semaine à l'avance et conservés dans un récipient hermétique. Garnir juste avant de servir pour éviter que la pâte ramollisse.

1 Préchauffer le four à 180 °C (th. 6). Pour les fonds de tartelettes, enduire une feuille de pâte filo de beurre fondu en réservant les feuilles restantes dans un linge et couper en carrés de 5 cm de côté à l'aide d'un couteau tranchant.

1

2 Graisser 20 mini-moules à muffin, chemiser chaque moule de 3 carrés de pâte filo beurrés en décalant les angles et cuire au four préchauffé 6 à 8 minutes, jusqu'à ce que les fonds de tartelettes soient dorés et croustillants. Transférer sur une grille et laisser refroidir.

2

3 Pour la salsa, peler l'avocat, dénoyauter et couper la chair en petits dés. Mettre dans une terrine avec l'oignon, le piment, les tomates, le jus de citron vert et la coriandre, saler et poivrer selon son goût et mélanger. Répartir dans les fonds de tartelettes et servir immédiatement.

3

triangles aux épinards et à la féta

4 personnes

2 cuil. à soupe d'huile d'olive
2 cuil. à soupe d'échalote finement hachée
200 g d'épinards frais, rincés et hachés
2 feuilles de pâte filo
115 g de féta, émiettée
6 tomates séchées au soleil, finement hachées
115 g de beurre, fondu, un peu plus pour graisser
sel et poivre

1 Préchauffer le four à 200 °C (th. 6-7). Dans une casserole, chauffer l'huile à feu moyen, ajouter l'échalote et cuire 2 à 3 minutes. Ajouter les épinards, augmenter le feu et cuire 2 à 3 minutes, sans cesser de remuer. Retirer du feu, égoutter et hacher grossièrement. Saler et poivrer selon son goût et laisser refroidir.

2 Couper chaque feuille de pâte filo en 6 lanières, déposer 1 cuillerée de garniture à une extrémité de chaque lanière et parsemer de féta et de tomates. Replier un coin de la pâte sur la garniture, replier le triangle obtenu sur lui-même, pointe vers le bas, et répéter l'opération de façon à obtenir un triangle.

3 Enduire le bord des triangles de beurre fondu, disposer sur une plaque de four beurrée et enduire de nouveau de beurre fondu. Cuire au four préchauffé, 10 minutes, jusqu'à ce que la pâte soit dorée et croustillante, retirer du four et servir immédiatement.

1

2

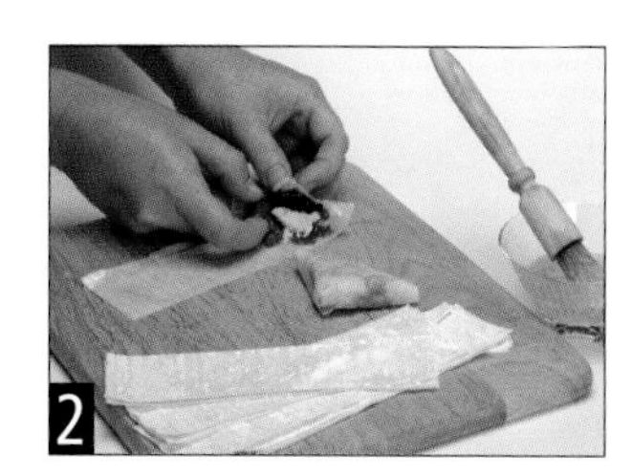

2

triangles aux anchois et aux olives

pour 40 triangles

- 55 g d'anchois à l'huile d'olive en boîte, égouttés et grossièrement hachés
- 50 g d'olives noires, dénoyautées et grossièrement hachées
- 115 g de manchego ou de cheddar, finement râpé
- 75 g de farine, un peu plus pour saupoudrer
- 115 g de beurre doux, coupé en dés
- 1/2 cuil. à café de poivre de Cayenne, un peu plus pour saupoudrer

1 Dans un robot de cuisine, mettre les anchois, les olives, le fromage, la farine, le beurre et le poivre de Cayenne, mixer jusqu'à obtention d'une pâte et façonner une boule. Envelopper de papier d'aluminium et mettre au réfrigérateur 30 minutes.

2 Préchauffer le four à 200 °C (th. 6-7), pétrir la pâte sur un plan légèrement fariné et abaisser. À l'aide d'un couteau tranchant, couper en rubans de 5 cm de large et couper perpendiculairement en biais de façon à obtenir des triangles.

3 Disposer les triangles sur 2 plaques de four, saupoudrer de poivre de Cayenne et cuire au four préchauffé, 10 minutes, jusqu'à ce qu'ils soient dorés. Transférer sur une grille et laisser refroidir complètement.

1

2

3

croissants à la féta et aux épinards

pour 16 croissants

- 450 g d'épinards, tiges dures retirées
- 4 oignons verts, finement hachés
- 2 œufs, légèrement battus
- 1 cuil. à soupe de persil frais haché
- 1 cuil. à soupe d'aneth fraîche hachée
- 350 g de féta
- poivre
- 8 feuilles de pâte filo (12 x 18 cm), décongelées si nécessaire
- huile d'olive, pour graisser

1 Préchauffer le four à 190 °C (th. 6-7). Dans une poêle, verser 1 cm d'eau, porter à ébullition et ajouter les épinards. Cuire 1 à 2 minutes en remuant une fois, jusqu'à ce que les feuilles soient flétries, égoutter et presser avec les mains pour exprimer l'excédent d'eau. Hacher finement, mettre dans une terrine et ajouter les oignons verts, les œufs, le persil et l'aneth. Émietter la féta, poivrer selon son goût et bien mélanger le tout.

2 Étaler une feuille de pâte filo en réservant les feuilles restantes dans du film alimentaire, enduire d'huile et couper en deux dans la longueur. Déposer une portion de garniture à un angle de chaque rectangle et rouler fermement mais sans trop serrer. Tortiller les marges de pâte, replier de façon à obtenir un croissant et disposer sur une plaque de four. Répéter l'opération avec la pâte et la garniture restantes.

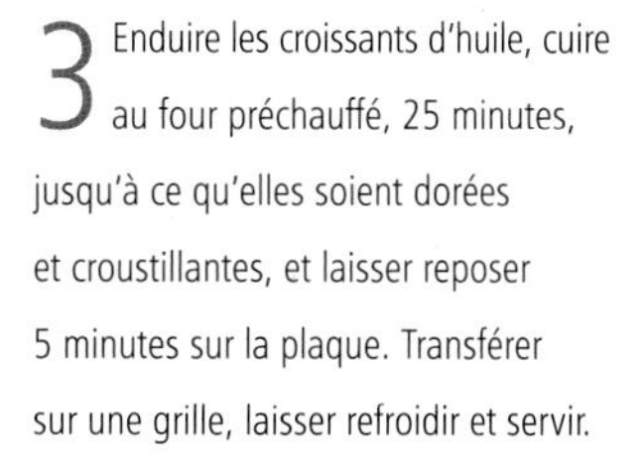

3 Enduire les croissants d'huile, cuire au four préchauffé, 25 minutes, jusqu'à ce qu'elles soient dorées et croustillantes, et laisser reposer 5 minutes sur la plaque. Transférer sur une grille, laisser refroidir et servir.

feuilleté aux épinards et à la pomme de terre

4 personnes

350 g de pâte feuilletée prête à l'emploi, décongelée si nécessaire
farine, pour saupoudrer
450 g d'épinards frais, abondamment rincés
sel et poivre
½ cuil. à café de noix muscade en poudre
350 g petites pommes de terre, cuites, pelées et coupées en rondelles épaisses
225 g de mozzarella, râpée
1 œuf
1 cuil. à soupe d'eau
beurre, pour graisser

1 Préchauffer le four à 190 °C (th. 6-7). Sur un plan fariné, abaisser la pâte, couper en 2 rectangles à l'aide d'un couteau tranchant dont un deux fois plus large que l'autre et laisser reposer 10 minutes. Conserver les chutes de pâte.

1

2 Dans une casserole, cuire les épinards 3 à 4 minutes, égoutter et hacher. Saler et poivrer selon son goût et incorporer la noix muscade. Disposer une couche de pommes de terre sur le rectangle le plus large en laissant des marges, saler et poivrer, et répartir les épinards. Garnir de fromage et couvrir avec les pommes de terre restantes.

2

3 Dans une terrine, battre l'œuf et ajouter l'eau. Rabattre les marges de pâte sur les pommes de terre, enduire d'œuf et couvrir avec l'autre rectangle de pâte en soudant.

3

4 Graisser une plaque de four, transférer le feuilleté et enduire d'œuf battu. Abaisser les chutes, façonner une décoration et disposer sur le feuilleté en dorant à l'œuf battu. Cuire au four préchauffé, 30 minutes, retirer du four et laisser reposer 5 minutes. Couper en tranches et servir immédiatement.

tarte aux épinards

4 personnes

beurre, pour graisser
2 quantités de pâte (page 86), mises au réfrigérateur
farine, pour saupoudrer
œuf légèrement battu, pour dorer

GARNITURE
450 g d'épinards surgelés, décongelés
2 cuil. à soupe d'huile d'olive
1 gros oignon, haché
2 gousses d'ail, finement hachées
2 œufs, légèrement battus
250 g de ricotta
55 g de parmesan, râpé
noix muscade fraîchement râpée
sel et poivre

1 Préchauffer le four à 200 °C (th. 6-7) et beurrer légèrement un moule à tarte à fond amovible de 23 cm de diamètre. Pour la garniture, égoutter les épinards et presser de façon à exprimer l'excédent d'eau. Dans une poêle, chauffer l'huile, ajouter l'oignon et cuire 5 minutes en remuant de temps en temps, jusqu'à ce qu'il soit tendre. Ajouter l'ail et les épinards, cuire encore 10 minutes en remuant de temps en temps et retirer la poêle du feu. Laisser tiédir, incorporer les œufs, la ricotta, le parmesan et la noix muscade, et saler et poivrer selon son goût.

2 Sur un plan fariné, abaisser deux tiers de la pâte pour foncer le moule à tarte de sorte que la pâte dépasse des bords du moule, garnir de la préparation à base d'épinards et répartir uniformément.

3 Sur un plan fariné, abaisser la pâte restante, couper des lanières de 5 mm de largeur et disposer sur la garniture selon un motif en treillage. Presser les extrémités des lanières sur le fond de tarte de sorte qu'elles tiennent fermement, retirer l'excédent de pâte et dorer à l'œuf battu. Cuire au four préchauffé, 45 minutes, jusqu'à ce que la tarte soit dorée, transférer sur une grille et laisser tiédir. Démouler et servir.

1

2

3

CONSEIL

Lorsque vous abaissez la pâte pour foncer un moule, roulez vers l'avant dans une seule direction et tournez la pâte régulièrement pour égaliser.

VARIANTE

Dorer à l'œuf battu donne une jolie finition brillante. Pour un aspect plus mat, utilisez du lait plutôt que de l'œuf battu.

tarte provençale

6 personnes

250 g de pâte feuilletée prête à l'emploi, décongelée si nécessaire
farine, pour saupoudrer
3 cuil. à soupe d'huile d'olive
2 poivrons rouges, coupés en dés
2 poivrons verts, coupés en dés
150 ml de crème fraîche épaisse
1 œuf
sel et poivre
2 courgettes, coupées en rondelles

CONSEIL

Vous pouvez adapter cette recette pour confectionner des tartelettes – utilisez des moules de 10 cm de diamètre et faites cuire les tartelettes 20 minutes au four préchauffé.

1 Sur un plan fariné, abaisser la pâte pour foncer un moule à tarte à fond amovible de 20 cm de diamètre, couvrir et mettre au réfrigérateur 20 minutes.

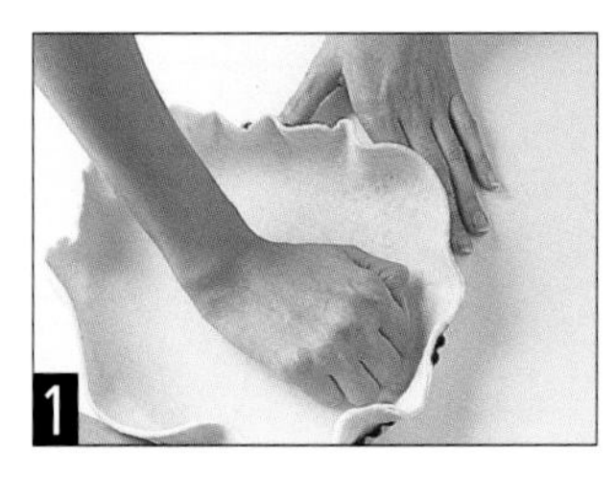

2 Préchauffer le four à 180 °C (th. 6). Dans une poêle, chauffer 2 cuillerées à soupe d'huile, ajouter les poivrons et faire revenir 8 minutes à feu doux en remuant fréquemment, jusqu'à ce qu'ils soient tendres. Dans une terrine, battre la crème fraîche et les œufs, saler et poivrer selon son goût et ajouter aux poivrons.

3 Dans une autre poêle, chauffer l'huile restante, ajouter les courgettes et faire revenir 4 à 5 minutes à feu modéré en remuant fréquemment, jusqu'à ce qu'elles soient dorées. Répartir la préparation à base de poivrons dans le fond de tarte et disposer les courgettes sur les bords.

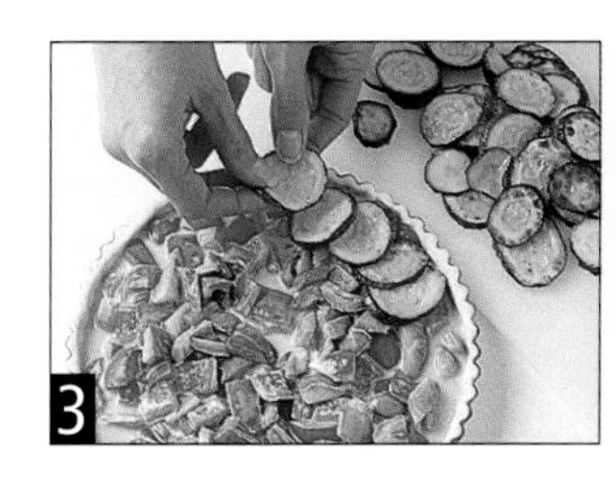

4 Cuire au four préchauffé, 35 à 45 minutes, jusqu'à ce que la tarte soit dorée, et servir immédiatement ou laisser refroidir dans le moule.

tarte aux lentilles

6 personnes

PÂTE

175 g de farine complète

100 g de beurre ou de margarine, coupés en dés

4 cuil. à soupe d'eau

GARNITURE

200 g de lentilles rouges, rincées

180 ml de bouillon de légumes

1 cuil. à soupe de beurre

1 oignon, haché

2 poivrons rouges, épépinés et coupés en dés

1 cuil. à café de levure déshydratée

1 cuil. à soupe de concentré de tomates

3 cuil. à soupe de persil frais haché

poivre

VARIANTE

Ajoutez des grains de maïs à la préparation à l'étape 4 pour plus de couleur et d'originalité.

1 Pour la pâte, tamiser la farine dans une terrine, ajouter les résidus restés dans le tamis et incorporer le beurre avec les doigts de façon à obtenir une consistance de chapelure. Incorporer l'eau, malaxer jusqu'à obtention d'une pâte et envelopper de papier d'aluminium. Mettre au réfrigérateur 30 minutes.

2 Préchauffer le four à 200 °C (th. 6-7). Pour la garniture, mettre les lentilles dans une casserole, ajouter le bouillon et porter à ébullition. Réduire le feu et laisser mijoter 10 minutes, jusqu'à ce que les lentilles soient tendres et puissent être réduites en purée.

3 Dans une poêle, faire fondre le beurre, ajouter l'oignon et les poivrons, et cuire jusqu'à ce qu'ils soient tendres.

4 Ajouter la purée de lentilles, la levure, le concentré de tomates et le persil, poivrer selon son goût et bien mélanger.

5 Sur un plan fariné, abaisser la pâte pour foncer un moule à tarte à fond amovible de 24 cm de diamètre, piquer le fond à l'aide d'une fourchette et répartir la garniture.

6 Cuire au four préchauffé, 30 minutes, jusqu'à ce que la garniture soit prise.

quiche aux champignons

4 personnes

beurre, pour graisser
pâte brisée (page 86), mise au réfrigérateur
farine, pour saupoudrer

GARNITURE

55 g de beurre
3 oignons rouges, coupés en deux et émincés
350 g de mélange de champignons, tels que cèpes, chanterelles et morilles
2 cuil. à café de thym frais haché
1 œuf
2 jaunes d'œufs
80 ml de crème fraîche
sel et poivre

CONSEIL

Si vous n'avez pas beaucoup de temps pour préparer cette recette, utilisez de la pâte prête à l'emploi. Si elle est surgelée, attention à la laisser décongeler.

1 Préchauffer le four à 190 °C (th. 6-7) et beurrer un moule à tarte à fond amovible de 23 cm de diamètre. Sur un plan fariné, abaisser la pâte pour foncer le moule, piquer à l'aide d'une fourchette et couvrir. Mettre au réfrigérateur 30 minutes. Chemiser le fond de tarte de papier d'aluminium, couvrir de haricots secs et cuire au four préchauffé, 25 minutes. Retirer les haricots et le papier d'aluminium, laisser refroidir sur une grille et réduire la température du four à 180 °C (th. 6).

2 Pour la garniture, faire fondre le beurre dans une poêle, ajouter les oignons et couvrir. Cuire 20 minutes à feu très doux en remuant de temps en temps, ajouter les champignons et le thym, et cuire encore 10 minutes. Répartir la garniture dans le fond de tarte et disposer sur une plaque de four.

3 Battre l'œuf avec les jaunes d'œufs et la crème fraîche, saler et poivrer selon son goût et napper les champignons. Cuire au four préchauffé, 20 minutes, jusqu'à ce que la garniture soit prise, et servir chaud ou à température ambiante.

1

2

3

quiche lorraine

pour 1 quiche de 23 cm de diamètre

PÂTE

100 g de farine, un peu plus en garniture
1 pincée de sel
115 g de beurre, coupé en dés
25 g de pecorino romano, râpé
4 à 6 cuil. à soupe d'eau glacée

GARNITURE

115 g de gruyère, finement émincé
55 g de roquefort, émietté
175 g de lardons dégraissés, grillés jusqu'à ce qu'ils soient croustillants
3 œufs
160 ml de crème fraîche
sel et poivre

1 Pour la pâte, tamiser la farine dans une terrine avec le sel, ajouter le beurre avec les doigts de façon à obtenir une consistance de chapelure et incorporer le pecorino. Ajouter de l'eau de façon à obtenir une pâte, façonner une boule et envelopper de papier d'aluminium. Mettre au réfrigérateur 15 minutes.

2 Préchauffer le four à 190 °C (th. 6-7). Sur un plan fariné, abaisser la pâte pour foncer un moule à tarte de 23 cm de côté, disposer le moule sur une plaque de four et piquer le fond de tarte à l'aide d'une fourchette. Chemiser de papier d'aluminium ou de papier sulfurisé beurré, garnir de haricot secs et cuire au four préchauffé, 15 minutes, jusqu'à ce que les bords aient pris et soient secs. Retirer les haricots et le papier, cuire encore 5 à 7 minutes, jusqu'à ce que la pâte soit dorée et laisser tiédir.

3 Pour la garniture, répartir le fromage sur le fond de tarte et parsemer de lardons. Dans une terrine, battre les œufs avec la crème fraîche, saler et poivrer selon son goût et répartir sur le fond de tarte. Cuire au four encore 20 minutes, jusqu'à ce que la garniture soit dorée et prise.

4 Sortir la quiche du four, laisser refroidir 10 minutes et démouler. Transférer sur une grille, laisser refroidir complètement et couvrir. Réserver au réfrigérateur et servir à température ambiante.

2

3

3

pissaladière

4 personnes

4 cuil. à soupe d'huile d'olive, un peu plus pour huiler
700 g d'oignons rouges, finement émincés
2 gousses d'ail, hachées
2 cuil. à café de sucre glace
2 cuil. à soupe de vinaigre de vin rouge
sel et poivre
1 à 2 cuil. à soupe de farine
350 g de pâte feuilletée prête à l'emploi
GARNITURE
100 g d'anchois en boîte
12 olives vertes, dénoyautées
1 cuil. à café de marjolaine séchée

1 Huiler légèrement un moule à bords bas de 30 x 20 cm. Dans une casserole, chauffer l'huile restante, ajouter les oignons et l'ail, et cuire 30 minutes à feu très doux en remuant de temps en temps.

2 Ajouter le sucre et le vinaigre, et saler et poivrer selon son goût.

3 Préchauffer le four à 220 °C (th. 6-7). Sur un plan fariné, abaisser la pâte en un rectangle de 33 x 23 cm et foncer le moule en appuyant bien dans les coins avec les doigts.

4 Retirer du feu la préparation à base d'oignons et répartir dans le fond de tarte.

5 Répartir les anchois et les olives sur les oignon et parsemer de marjolaine séchée.

6 Cuire au four préchauffé, 20 à 25 minutes, jusqu'à ce que la pissaladière soit dorée, et servir chaud, dès la sortie du four.

CONSEIL

Couper la pissaladière en carrés ou en triangles pour la servir lors d'une fête en extérieur.

2

3

5

petits rouleaux asiatiques

4 personnes

4 cuil. à café d'huile
1 ou 2 gousses d'ail, hachées
225 g de porc haché
225 g de bok choy, ciselé
4 cuil. à café de sauce de soja claire
½ cuil. à café d'huile de sésame
8 galettes de riz carrées de 25 cm de côté
huile, pour la friture
SAUCE AU PIMENT
55 de sucre en poudre
60 ml de vinaigre de riz
2 cuil. à soupe d'eau
2 piments rouges frais, finement hachés

1 Dans un wok préchauffé, chauffer l'huile, ajouter l'ail et faire revenir 30 secondes. Ajouter la viande hachée et faire revenir encore 2 à 3 minutes, jusqu'à ce qu'elle soit dorée.

2 Ajouter le bok choy, la sauce de soja et l'huile de sésame, faire revenir 2 à 3 minutes et retirer du feu. Laisser refroidir.

3 Étaler les galettes de riz et déposer 2 cuillerées à soupe de préparation à base de viande. Rouler la feuille une fois, replier les côtés et rouler de nouveau jusqu'à obtention d'un rouleau. Enduire d'eau les extrémités pour sceller et laisser reposer 10 minutes.

4 Pour la sauce au piment, chauffer le sucre, le vinaigre et l'eau dans une poêle sans cesser de remuer jusqu'à ce que le sucre soit dissous. Porter à ébullition, laisser bouillir rapidement jusqu'à ce qu'un sirop se forme et retirer du feu. Incorporer les piments et laisser refroidir.

5 Dans un wok, chauffer l'huile jusqu'à ce qu'elle fume, réduire le feu et faire frire les rouleaux en plusieurs fois 3 à 4 minutes, jusqu'à ce qu'ils soient dorés. Retirer de l'huile à l'aide d'une écumoire, égoutter sur du papier absorbant et répartir dans des assiettes chaudes, accompagné de sauce au piment.

2

3

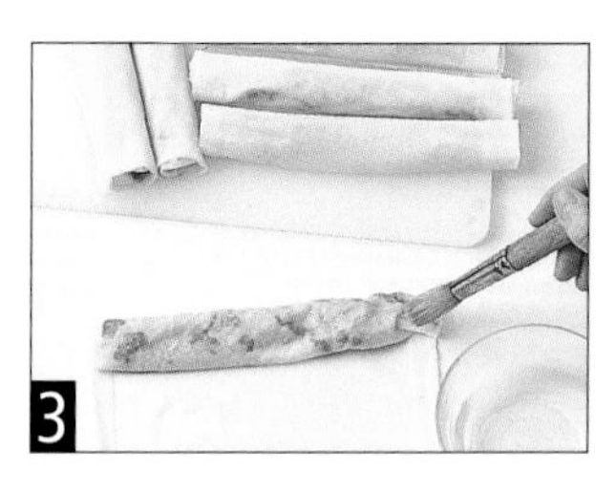
3

böreks

pour 20 böreks

225 g de féta
2 cuil. à soupe de menthe fraîche hachée
2 cuil. à soupe de persil frais haché
1 cuil. à soupe ½ d'aneth fraîche hachée
1 pincée de noix muscade hachée
poivre
20 feuilles de pâte filo (12 x 18 cm), décongelées si nécessaire
huile d'olive, pour graisser

1 Préchauffer le four à 190 °C (th. 6-7). Dans une terrine, émietter la féta, ajouter la menthe, le persil, l'aneth et la noix muscade et poivrer selon son goût.

2 Étaler une feuille de pâte filo, en réservant les autres dans du film alimentaire, enduire d'huile et disposer une deuxième feuille dessus. Enduire de nouveau d'huile, couper en deux dans la longueur et déposer une cuillerée de garniture à l'extrémité du rectangle obtenu. Replier un coin de la pâte sur la garniture, replier le triangle obtenu sur lui-même, pointe vers le bas, et répéter l'opération de façon à obtenir un triangle.

3 Répéter l'opération avec la pâte filo et la garniture restantes, enduire les triangles d'huile et cuire au four préchauffé, 15 à 20 minutes, jusqu'à ce que les triangles soient dorés et croustillants. Retirer du four, transférer sur une grille et servir à température ambiante. Il est également possible de faire frire ces triangles.

1

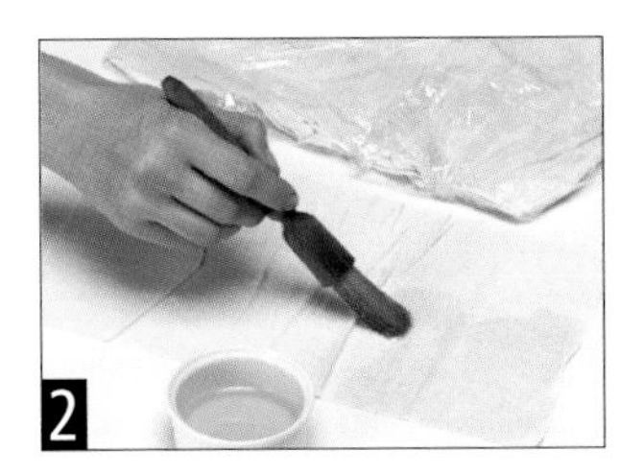
2

2

samosas aux légumes

pour 30 samosas

3 grosses pommes de terre, coupées en cubes
sel
125 g de petits pois surgelés
80 g de maïs surgelé
2 échalotes, finement hachées
1 cuil. à café de cumin
1 cuil. à café de coriandre
2 piments verts frais, épépinés et finement hachés
2 cuil. à soupe de menthe fraîche hachée
2 cuil. à soupe de coriandre fraîche hachée
4 cuil. à soupe de jus de citron
15 feuille de pâte filo (12 x 18 cm), décongelées si nécessaire
beurre fondu, pour graisser
huile de maïs ou d'arachide, pour la friture
chutney, en accompagnement

1 Dans une casserole, mettre les pommes de terre, couvrir d'eau froide et ajouter 1 pincée de sel. Porter à ébullition, réduire le feu et cuire 15 à 20 minutes à couvert, jusqu'à ce qu'elles soient tendres. Cuire les petits pois selon les instructions figurant sur le paquet et égoutter. Égoutter les pommes de terre, remettre dans la casserole et réduire en purée. Transférer dans une terrine avec les petits pois.

2 Ajouter le maïs, les échalotes, le cumin, la coriandre en poudre, les piments, la menthe, la coriandre fraîche et le jus de citron, saler selon son goût et mélanger.

3 Étaler une feuille de pâte filo, en réservant les autres dans du film alimentaire, enduire de beurre fondu et couper en deux dans la longueur. Déposer une cuillerée de garniture à une extrémité du rectangle obtenu, replier un coin de la pâte sur le triangle et replier le triangle obtenu sur lui-même, pointe vers le bas. Répéter l'opération de façon à obtenir un triangle.

4 Dans une poêle à frire, chauffer l'huile à 180-190 °C, un dé de pain doit y dorer en 30 secondes. Cuire les samosas, en plusieurs fois, jusqu'à ce qu'ils soient dorés, retirer à l'aide d'une écumoire et égoutter sur du papier absorbant. Il est également possible de cuire les samosas au four préchauffé, à 200 °C (th. 6-7), 10 à 15 minutes, jusqu'à ce qu'ils soient dorés. Servir chaud ou a température ambiante, accompagné de chutney.

mini-rouleaux à la saucisse

pour 48 mini-rouleaux

450 g de chair à saucisse
1 cuil. à café de sauce worcester
œuf battu, pour dorer
PÂTE
150 g de farine, un peu plus pour saupoudrer
1 pincée de sel
½ cuil. à café de poudre de moutarde
115 g de beurre, coupé en dés
2 à 3 cuil. à soupe d'eau, glacée

1 Pour la pâte, tamiser la farine avec le sel et la poudre de moutarde, incorporer le beurre avec les doigts de façon à obtenir une consistance de chapelure et ajouter l'eau de façon à obtenir une pâte souple qui ne colle pas. Façonner une boule, envelopper de papier d'aluminium et mettre au réfrigérateur 20 minutes.

2 Dans une terrine, mélanger la chair à saucisse et la sauce worcester, diviser en 12 portions et rouler chacune dans la paume des mains de façon à obtenir des saucisse de 6 cm de long.

3 Préchauffer le four à 190 °C (th. 6-7). Sur un plan fariné, abaisser la pâte en un rectangle de 20 x 46 cm, couper en 12 rectangles de 5 x 15 cm à l'aide d'un couteau tranchant et disposer les saucisses sur chaque rectangle. Enduire les marges de pâte d'eau, enrouler la pâte de façon à enfermer la saucisse et couper chaque rouleaux obtenu en quatre. Répéter l'opération avec la pâte et la chair à saucisse restantes.

4 Disposer les mini-rouleaux sur des plaques de four, extrémités vers le bas, enduire d'œuf battu et cuire au four préchauffé, 10 minutes, jusqu'à ce qu'ils soient dorés et cuits. Retirer du four, transférer sur une grille et laisser refroidir.

2

3

4

mini-choux aux crevettes

pour 22 mini-choux

PÂTE À CHOUX

55 g de beurre, un peu plus pour graisser

160 ml d'eau

50 g de farine, tamisée

2 œufs, battus

GARNITURE

2 cuil. à soupe de mayonnaise

1 cuil. à café de concentré de tomates

140 g de petites crevettes, cuites et décortiquées

1 cuil. à soupe de sauce worcester

sel

Tabasco

1 laitue Iceberg, ciselée

poivre de Cayenne, en garniture

CONSEIL

Les choux peuvent être farcis 3 heures à l'avance et conservés au réfrigérateur. Sortir du réfrigérateur un peu avant de servir pour qu'ils soient à température ambiante.

1 Préchauffer le four à 180 °C (th. 6) et graisser une plaque de four. Pour la pâte à choux, mettre le beurre et l'eau dans une casserole, porter à ébullition et ajouter la farine en une fois en battant bien jusqu'à ce que la pâte adhère aux parois de la casserole. Laisser refroidir incorporer vigoureusement les œufs, un par un, et disposer 22 noix de pâte sur les plaques de four en les espaçant de 2 cm. Cuire au four préchauffé, 35 minutes, jusqu'à ce que les choux aient gonflé et soient dorés, transférer sur une grille et découper le haut des choux à 5 mm du sommet.

2 Pour la garniture, mettre la mayonnaise, le concentré de tomates, les crevettes et la sauce worcester dans une terrine, saler et ajouter le Tabasco selon son goût.

3 Mettre les feuilles de laitue ciselées dans le fond de chaque chou en les laissant légèrement dépasser, garnir de la préparation précédente et saupoudrer de poivre de Cayenne.

triangles au crabe et au gingembre

pour 12 triangles

- 85 g de beurre, fondu, un peu plus pour graisser
- 200 g de chair crabe fraîche ou en boîte, égouttée
- 6 oignons verts, finement hachés, un peu plus en garniture
- 1 morceau de gingembre de 2,5 cm, pelé et râpé
- 2 cuil. à café de sauce de soja
- poivre
- 12 feuilles de pâte filo, décongelées si nécessaire

1 Préchauffer le four à 180 °C (th. 6) et graisser une plaque de four. Dans une terrine, mettre le crabe, les oignons verts, le gingembre et la sauce de soja, poivrer selon son goût et bien mélanger. Étaler un feuille de pâte filo, en réservant les autres dans un torchon, enduire de beurre fondu et plier en deux. Enduire de nouveau de beurre.

2 Déposer une cuillerée de garniture à une extrémité du triangle obtenu, replier un coin de la pâte sur la garniture et replier le triangle obtenu sur lui-même, pointe vers le bas. Répéter l'opération de façon à obtenir un triangle.

3 Disposer sur la plaque de four, répéter l'opération avec la pâte restante et enduire chaque triangle de beurre fondu. Cuire au four préchauffé 20 à 25 minutes, jusqu'à ce qu'ils soient croustillants et dorés. Garnir d'oignons verts et servir chaud.

CONSEIL

Il est préférable d'utiliser de la chair de crabe fraîche dans cette recette car sa saveur est plus prononcée.

aumônières aux fruits de mer

pour 24 aumônières

100 g de saumon en boîte, égoutté
100 g de chair de crabe en boîte, égouttée
2 cuil. à soupe de persil frais haché
8 oignons verts, finement hachés
8 feuilles de pâte filo (20 x 30 cm), décongelées si nécessaire
beurre fondu, pour graisser
huile de maïs, pour graisser

1 Retirer les arêtes du saumon, mettre dans une terrine et émietter à l'aide d'une fourchette. Retirer le cartilage de la chair de crabe si nécessaire, mettre dans une autre terrine et émietter à l'aide d'une fourchette. Répartir les oignons verts et le persil dans les terrines et mélanger.

2 Préchauffer le four à 200 °C (th. 6-7). Étaler une feuille de pâte filo, en réservant les autres dans du film alimentaire, enduire de beurre fondu et couvrir avec une seconde feuille. Couper des carrés de 10 cm de côté, déposer une cuillerée de préparation à base de saumon au centre d'un carré et enduire les marges de beurre. Rassembler la pâte vers le haut de façon à obtenir une aumônière et presser pour sceller. Répéter l'opération avec 2 autres feuilles de pâte filo et la garniture à base de saumon, et avec les feuilles de pâte filo restantes et la garniture à base de crabe.

3 Huiler une plaque de four, disposer les aumônières dessus et cuire au four préchauffé, 15 minutes, jusqu'à ce qu'elles soient dorées. Servir chaud.

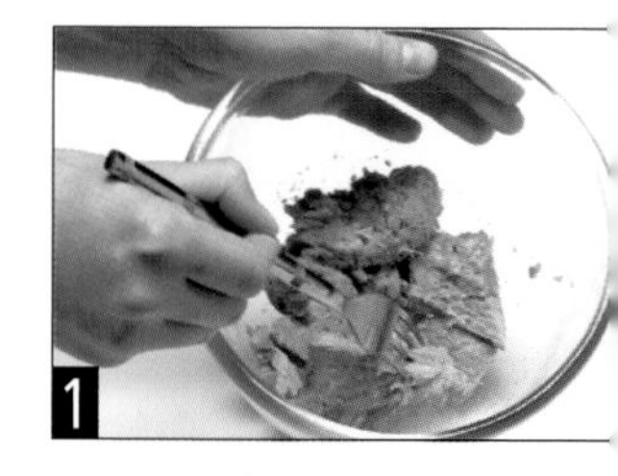

croissants au thym

8 personnes

100 g de beurre, en pommade,
un peu plus pour graisser
250 g de pâte feuilletée prête à l'emploi, décongelée si nécessaire
1 gousse d'ail, hachée
1 cuil. à café de jus de citron
1 cuil. à café de thym séché
sel et poivre

CONSEIL

Les herbes séchées ont une saveur plus prononcées que les herbes fraîches, idéal dans cette recette. Ces croissants peuvent être réalisés avec les herbes de votre choix, de la sauge, du romarin ou un mélange.

1 Préchauffer le four à 200 °C (th. 6-7) et graisser une plaque de four.

2 Sur un plan fariné, abaisser la pâte en un rond de 25 cm de diamètre et couper en 8 quartiers.

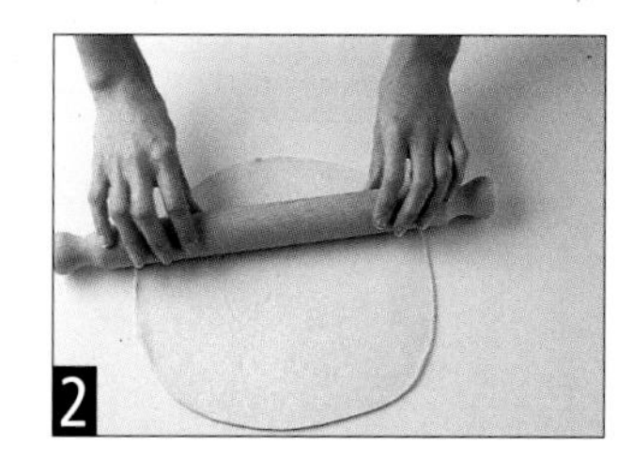

3 Dans une terrine, mélanger le beurre, l'ail, le jus de citron et le thym de façon à obtenir une pâte et saler et poivrer selon son goût.

4 Enduire chaque quartier de pâte de la préparation obtenue.

5 Rouler délicatement les quartiers de pâte en commençant par le côté le plus large.

6 Disposer sur une plaque de four, couvrir et mettre au réfrigérateur 30 minutes.

7 Humecter les plaques de façon à créer de la vapeur d'eau permettant aux croissants de lever à la cuisson.

8 Cuire au four préchauffé, 10 à 15 minutes, jusqu'à ce que les croissants aient levé et soient dorés.

.ablés au fromage

pour 35 sablés

150 g de beurre, coupé en dés, un peu plus pour graisser
100 g de farine, un peu plus pour saupoudrer
150 g de fromage, râpé
1 jaune d'œuf
graines de sésame, pour parsemer

1 Préchauffer le four à 200 °C (th. 6-7) et beurrer légèrement lusieurs plaques de four.

2 Mélanger la farine et le fromage dans une terrine.

3 Incorporer le beurre avec les doigts de façon à obtenir ıne consistance de chapelure.

4 Incorporer le jaune d'œuf, mélanger de façon à obtenir une ɔâte et envelopper de film alimentaire. Mettre au réfrigérateur 30 minutes.

5 Sur un plan fariné, abaisser la pâte, couper des ronds de pâte à l'aide d'un emporte-pièce de 6 cm de diamètre et abaisser les chutes de façon à obtenir 35 sablés.

6 Disposer les sablés sur les plaques de four beurrées et parsemer de graines de sésame.

7 Cuire au four préchauffé, 20 minutes, jusqu'à ce qu'ils soient dorés.

8 Transférer les sablés sur une grille, laisser refroidir complètement et servir.

3

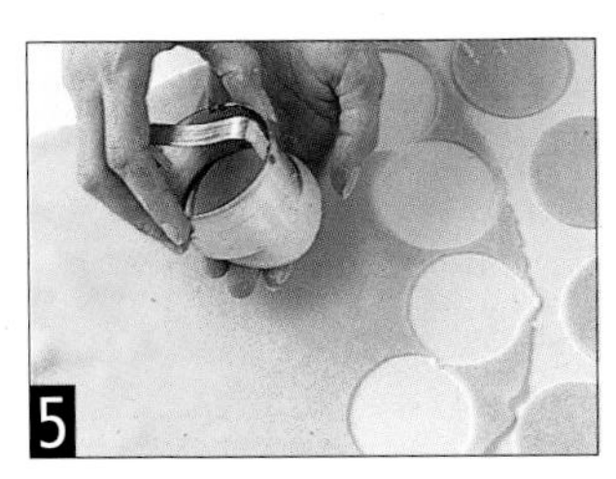
5

6

VARIANTE

Pour une variante sucrée de ces petits sablés, remplacez le fromage par le zeste râpé d'un citron et incorporez 150 g de sucre en poudre à la fin de l'étape 2. Battez le jaune d'œuf avec du cognac ou du rhum avant de l'incorporer. Abaissez la pâte et faites cuire au four comme indiqué.

CONSEIL

Vous pouvez découper toutes les formes que vous souhaitez. Les enfants adoreront les formes d'animaux ou autres objets.

losanges au cumin

4 personnes

100 g de farine
1 cuil. à café de levure chimique
½ cuil. à café de sel
1 cuil. à soupe de graines de cumin noir
80 ml d'eau
300 ml d'huile
dhaal, en accompagnement

CONSEIL

Les graines de cumin noir sont ici utilisées pour leur saveur très prononcée, mais vous pouvez utiliser des graines de cumin blanc.

1 Mettre la farine dans une terrine.

2 Ajouter la levure, le sel et les graines de cumin, et mélanger.

3 Ajouter l'eau et mélanger jusqu'à obtention d'une pâte souple.

4 Sur un plan fariné, abaisser la pâte de sorte qu'elle ait 5 mm d'épaisseur.

5 À l'aide d'un couteau tranchant, découper des losanges, abaisser les chutes et découper d'autres losanges, de façon à utiliser la totalité de la pâte.

6 Dans une sauteuse, chauffer l'huile à 180-190 °C, un dé de pain doit y dorer en 30 secondes.

7 Faire frire les losanges en plusieurs fois, jusqu'à ce qu'ils soient dorés.

8 Retirer de l'huile à l'aide d'une écumoire, égoutter sur du papier absorbant et servir accompagné d'un dhaal ou conserver dans un récipient hermétique.

Viandes et volailles

Vous trouverez ici les recettes préférées des amateurs de viande, plus ou moins pratiques à manger avec les doigts mais toujours absolument délicieuses comme les ailes de poulet San Fransisco ou au gingembre (pages 111 et 116), ou les pilons au miel et à la moutarde (page 108). Essayez aussi les travers de porc à la chinoise (page 130) ou au miel et au piment (page 124), selon vos goûts et vos humeurs. Ce sont toutefois les brochettes qui restent le plus pratique à manger avec les doigts – qu'elles soient de taille normale ou miniature avec des petits dés de poulet ou de bœuf et des petits légumes sur des piques à cocktail. Découvrez également toute sorte de petites bouchées, comme celles à la saucisse (page 126) ou au lard croustillant (page 122), idéales pour égayer un buffet.

ailes de poulet cuites au four

4 personnes

12 ailes de poulet
1 œuf
120 ml de lait
4 cuil. à soupe de farine
1 cuil. à café de paprika
sel et poivre
200 g de chapelure
55 g de beurre

VARIANTE

Remplacez le paprika par de la poudre de piment.

1 Préchauffer le four à 220 °C (th. 7-8). Couper chaque aile en trois et retirer l'extrémité osseuse. Dans une terrine, battre le lait et l'œuf. Dans une autre terrine, mélanger la farine et le paprika et saler et poivrer selon son goût. Mettre la chapelure dans une troisième terrine.

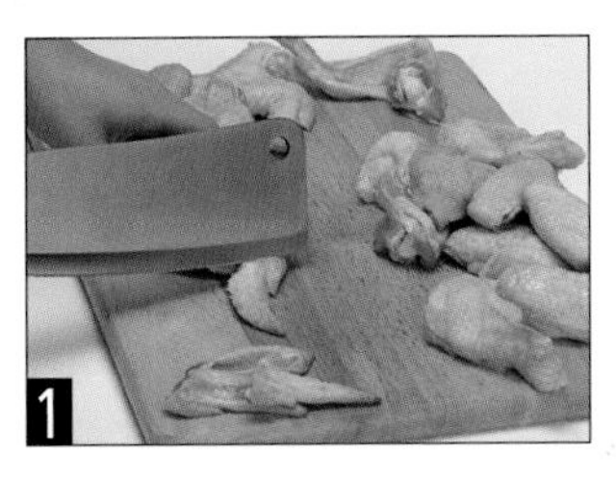
1

1

2

2 Enrober le poulet de mélange à base de lait, égoutter et enrober de farine assaisonnée. Secouer de façon à retirer l'excédent de farine, rouler dans la chapelure en pressant délicatement, et secouer de nouveau de façon à retirer l'excédent.

3 Dans un plat allant au four assez large pour contenir le poulet en une seule couche, faire fondre le beurre, disposer le poulet côté peau vers le bas et cuire au four préchauffé 10 minutes. Retourner et cuire encore 10 minutes, jusqu'à ce que le poulet soit tendre et qu'il rende un jus clair lorsqu'il est piqué à l'aide d'une brochette dans sa partie la plus charnue.

4 Retirer du four, transférer dans un plat de service et servir chaud ou à température ambiante.

pilons au miel et à la moutarde

pour 12 pilons

12 pilons de poulet
180 ml de miel
6 cuil. à soupe de moutarde en grain
2 cuil. à soupe de moutarde de Dijon
2 cuil. à soupe de vinaigre de vin blanc
3 cuil. à soupe d'huile de maïs
brins de persil frais, en garniture

1 À l'aide d'un couteau tranchant, pratiquer plusieurs entailles dans les pilons et transférer dans une terrine non métallique.

2 Dans une autre terrine, mélanger le miel, les moutardes, le vinaigre et l'huile, battre et verser sur le poulet. Retourner le poulet de façon à bien l'enrober de marinade, couvrir de film alimentaire et mettre au réfrigérateur 2 à 3 heures, ou toute une nuit.

3 Disposer les pilons sur une grille passer au gril préchauffé 25 minutes en retournant fréquemmen et en enduisant de marinade, jusqu'à ce que le poulet soit tendres et qu'il rende un jus clair lorsqu'il est piqué à l'aide d'une brochette dans sa partie la plus charnue. Laisser refroidir, disposer sur un plat de service et garnir de brins de persil frais.

mini-brochettes de bœuf

4 personnes

115 g de viande de bœuf
4 gros champignons de Paris, coupés en dés de 1 cm
½ petit oignon, coupé en dés de 1 cm

MARINADE ÉPICÉE À LA TOMATE
60 ml de jus de tomate
60 ml de bouillon de bœuf
1 cuil. à soupe de sauce worcester
1 cuil. à soupe de jus de citron
2 cuil. à soupe de xérès
trait de Tabasco
2 cuil. à soupe d'huile
1 cuil. à soupe de céleri émincé

1

1

1 Couper la viande en dés de 1 cm, mélanger les ingrédients de la marinade dans une terrine non métallique et incorporer la viande avec les champignons et les oignons. Couvrir de film alimentaire et mettre au réfrigérateur 30 minutes.

2 Égoutter les ingrédients en réservant la marinade et piquer en alternance la viande et les légumes sur des brochettes, en évitant de trop les serrer.

3

3 Préchauffer une poêle à fond rainuré, disposer les brochettes dans la poêle et cuire 5 minutes en retournant fréquemment et en enduisant régulièrement de marinade, jusqu'à ce qu'elles soient dorées et bien cuites.

4 Empiler les brochettes sur un plat de service et servir immédiatement.

mini-brochettes de poulet

4 personnes

1 blanc de poulet, sans la peau et coupé en dés de 1 cm
½ petit oignon, coupé en dés de 1 cm
½ poivron rouge, épépiné et coupé en dés de 1 cm
½ poivron vert, épépiné et coupé en dés de 1 cm
MARINADE AIGRE-DOUCE
120 ml de jus d'orange, de raisin ou d'ananas
1 cuil. à soupe de xérès
60 ml de sauce de soja noire
60 ml de bouillon de poulet
2 cuil. à soupe de vinaigre de cidre
1 cuil. à soupe de concentré de tomates
2 cuil. à soupe de sucre roux
1 pincée de gingembre en poudre

1 Pour la marinade, mélanger les ingrédients dans une terrine non métallique, ajouter le poulet et les légumes, et mélanger de façon à bien les enrober.

2 Couvrir et mettre au réfrigérateur 30 minutes.

3 Parer les légumes et piquer en alternance avec le poulet sur des brochettes, sans trop les serrer et en réservant la marinade.

4 Préchauffer une poêle à fond rainuré, ajouter les brochettes et cuire 10 minutes en retournant et en enduisant régulièrement de marinade, jusqu'à ce qu'elles soient bien cuites.

5 Empiler les brochettes dans un plat de service et servir immédiatement.

1

3

3

ailes de poulet au gingembre

4 personnes

2 gousses d'ail, concassées
1 morceau de gingembre
en sirop, concassé
1 cuil. à café de graines de coriandre
2 cuil. à soupe de sirop
de gingembre
2 cuil. à soupe de sauce de soja noire
1 cuil. à soupe de jus de citron
1 cuil. à café d'huile de sésame
12 ailes de poulet
GARNITURE
quartiers de citron
feuilles de coriandre fraîche

1 Mettre l'ail, le gingembre et les graines de coriandre dans un ortier et piler jusqu'à obtention d'une âte en incorporant le sirop de gingembre, sauce de soja, le jus de citron et l'huile.

VARIANTE

Vous pouvez utiliser des pilons de poulet pour remplacer les ailes mais assurez-vous qu'ils sont bien cuits.

2 Replier l'extrémité osseuse des ailes de poulet sous la partie la plus charnue de façon à obtenir des formes triangulaires nettes et disposer dans une terrine non métallique.

3 Ajouter la préparation à base d'ail dans la terrine, enrober le poulet et couvrir. Mettre au réfrigérateur quelques heures ou toute une nuit.

4 Disposer les ailes sur une plaque chemisée de papier d'aluminium et passer au gril 12 à 15 minutes en retournant régulièrement, jusqu'à ce que les ailes soient dorées et qu'elles rendent un jus clair lorsqu'elles sont piquées à l'aide d'une brochette dans leur partie la plus charnue.

5 Il est possible de cuire les ailes au barbecue. Répartir dans des assiettes, garnir de citron et servir parsemé de coriandre.

boulettes de poulet et leur sauce

4 à 6 personnes

2 gros blancs de poulet, sans la peau
3 cuil. à soupe d'huile
2 échalotes, finement hachées
½ branche de céleri, finement hachée
1 gousse d'ail, hachée
2 cuil. à soupe de sauce de soja claire
1 petit œuf, légèrement battu
sel et poivre
1 botte d'oignons verts
oignons verts en pompon, en garniture

SAUCE
3 cuil. à soupe de sauce de soja noire
1 cuil. à soupe d'alcool de riz
1 cuil. à café de graines de sésame

1 Couper le poulet en dés de 2 cm, chauffer la moitié de l'huile dans une poêle et ajouter le poulet. Faire revenir 2 à 3 minutes à feu fort, jusqu'à ce qu'il soit doré, retirer de la poêle à l'aide d'une écumoire et réserver.

2 Ajouter le céleri, les échalotes et l'ail dans la poêle et faire revenir 1 à 2 minutes, jusqu'à ce que les légumes soient tendres sans avoir doré.

3 Transférer le poulet, les échalotes, le céleri et l'ail dans un robot de cuisine, mixer jusqu'à ce que le tout soit finement haché et ajouter la sauce de soja claire. Incorporer un peu d'œuf battu de façon à obtenir une consistance ferme et saler et poivrer selon son goût.

4 Parer les oignons verts, couper en morceaux de 5 cm de long et réserver. Pour la sauce, mélanger la sauce de soja noire, l'alcool de riz et les graines de sésame, et réserver.

5 Façonner 16 à 18 boulettes de préparation à base de poulet

de la taille d'une noix avec la paume des mains. Dans la poêle, chauffer l'huile restante, ajouter les boulettes et faire revenir en plusieurs fois 4 à 5 minutes, jusqu'à ce qu'elles soient dorées. Égoutter sur du papier absorbant et réserver au chaud.

6 Faire revenir les oignons verts 1 à 2 minutes, jusqu'à ce qu'ils commencent à être tendres, incorporer la sauce de soja claire restante et servir en accompagnement des boulettes de poulet avec la sauce, garni de pompons d'oignons verts.

ailes de poulet au miel

4 personnes

450 g d'ailes de poulet
2 cuil. à soupe d'huile d'arachide
2 cuil. à soupe de sauce de soja claire
2 cuil. à soupe de sauce hoisin
2 cuil. à soupe de miel
2 gousses d'ail, hachées
1 cuil. à café de graines de sésame

MARINADE
1 piment rouge séché
½ cuil. à café de poudre de piment
½ à 1 cuil. à café de gingembre
zeste râpé d'un citron vert

CONSEIL

Vous pouvez préparer le plat à l'avance et le congeler. Décongeler complètement, couvrir de papier d'aluminium et cuire à four moyen.

1 Pour la marinade, piler le piment dans un mortier, transférer dans une terrine et ajouter la poudre de piment, le gingembre et le zeste de citron vert.

2 Enrober le poulet avec le mélange obtenu, couvrir et mettre au réfrigérateur 2 heures de sorte que les saveurs imprègnent le poulet.

3 Chauffer l'huile dans un wok préchauffé ou une poêle.

4 Ajouter le poulet, faire revenir 10 à 12 minutes, jusqu'à ce qu'il soit doré et croustillant, et égoutter l'excédent d'huile.

4

5 Ajouter la sauce de soja, la sauce hoisin, le miel, l'ail et les graines de sésame en remuant les ailes de poulet de façon à bien les enrober.

5

6 Réduire le feu et cuire 20 à 25 minutes en retournant le poulet fréquemment, jusqu'à ce qu'il soit tendre et qu'il rende un jus clair lorsqu'il est piqué dans sa partie la plus charnue à l'aide d'une brochette.

6

ailes de poulet san fransisco

pour 12 ailes de poulet

5 cuil. à soupe de sauce de soja noire
2 cuil. à soupe de xérès
1 cuil. à soupe de vinaigre de riz
1 zeste d'orange de 5 cm
jus d'une orange
1 cuil. à soupe de sucre roux
1 anis étoilé
1 cuil. à café de maïzena, délayée dans 3 cuil. à soupe d'eau
1 cuil. à soupe de gingembre frais finement haché
1 cuil. à café de sauce au piment
1,5 kg d'ailes de poulet

1

2

1 Préchauffer le four à 200 °C (th. 6-7). Dans une casserole, mettre la sauce de soja, le xérès, le vinaigre, le zeste d'orange, le jus d'orange, le sucre et l'anis étoilé, mélanger et porter à ébullition à feu moyen. Incorporer la maïzena, laisser bouillir 1 minute sans cesser de remuer, jusqu'à ce que la préparation ait épaissi et retirer la casserole du feu. Incorporer le gingembre et la sauce au piment.

2 Retirer l'extrémité osseuse des ailes de poulet, disposer en une seule couche dans un plat allant au four et napper de sauce en retournant les ailes de façon à bien les enrober.

3 Cuire au four préchauffé, 35 à 40 minutes, en retournant et en nappant de sauce régulièrement, jusqu'à ce que le poulet soit tendre et doré, et qu'il rende un jus clair lorsqu'il piqué dans sa partie la plus charnue à l'aide d'une brochette. Servir chaud ou tiède.

pilons de poulet et leur salsa à la mangue

4 personnes

8 pilons de poulet, sans la peau
3 cuil. à soupe de chutney de mangue
2 cuil. à café de moutarde de Dijon
2 cuil. à café d'huile de maïs
1 cuil. à café de paprika
1 cuil. à café de graines de moutarde noire, légèrement écrasées
½ cuil. à café de curcuma en poudre
2 gousses d'ail, hachées
sel et poivre

SALSA

1 mangue, coupée en dés
1 tomate, finement hachée
½ oignon rouge, finement émincé
2 cuil. à soupe de coriandre hachée
sel et poivre

VARIANTE

Remplacez le curcuma par de la poudre de curry douce.

1 Préchauffer le four à 200 °C (th. 6-7). À l'aide d'un couteau tranchant, pratiquer 3 ou 4 entailles dans les pilons et disposer dans un plat allant au four.

2 Mélanger le chutney de mangue, la moutarde, l'huile, les épices et l'ail, saler et poivrer selon son goût et napper le poulet en le retournant de façon à l'enrober uniformément.

3 Cuire au four préchauffé, 40 minutes, en enduisant régulièrement de marinade en début et en milieu de cuisson, jusqu'à ce que le poulet soit tendre et doré, et qu'il rende un jus clair lorsqu'il est piqué dans sa partie la plus charnue à l'aide d'une brochette.

4 Pour la salsa, mélanger les ingrédients dans une terrine, saler et poivrer selon son goût et couvrir. Réserver au réfrigérateur.

5 Disposer les pilons de poulet dans un plat de service et servir chaud ou froid, accompagné de salsa à la mangue.

satays de poulet ou de bœuf

6 personnes

4 blancs de poulet sans la peau
ou 750 g de viande de bœuf
quartiers de citron, en garniture

MARINADE
1 petit oignon, finement émincé
1 gousse d'ail, hachée
1 morceau de gingembre de 2,5 cm
2 cuil. à soupe de sauce de soja noire
2 cuil. à café de poudre de piment
1 cuil. à café de coriandre en poudre
2 cuil. à café de sucre roux
1 cuil. à soupe de jus de citron ou de citron vert
1 cuil. à soupe d'huile

SAUCE
300 ml de lait de coco
4 cuil. à soupe de beurre de cacahuètes avec morceaux
1 cuil. à soupe de sauce de poisson
1 cuil. à café de jus de citron ou citron vert
sel et poivre

1 À l'aide d'un couteau tranchant, dégraisser le poulet ou le bœuf, et couper en lanières de 7,5 cm de long.

2 Pour la marinade, mélanger les ingrédients dans une terrine non métallique, ajouter la viande et bien enrober. Couvrir de film alimentaire et mettre au réfrigérateur 2 heures ou toute une nuit.

3 Retirer la viande de la marine et piquer sur des brochettes de bambou pré-trempées ou des brochettes métalliques.

4 Passer les brochettes au gril préchauffé 8 à 10 minutes, en retournant et en enduisant de marinade les 4 ou 5 premières minutes de cuisson, jusqu'à ce que les brochettes soient bien cuites.

5 Pour la sauce, mélanger les ingrédients dans une casserole, porter à ébullition et laisser bouillir 3 minutes. Saler et poivrer selon son goût.

6 Servir les brochettes avec la sauce et garni de quartiers de citron.

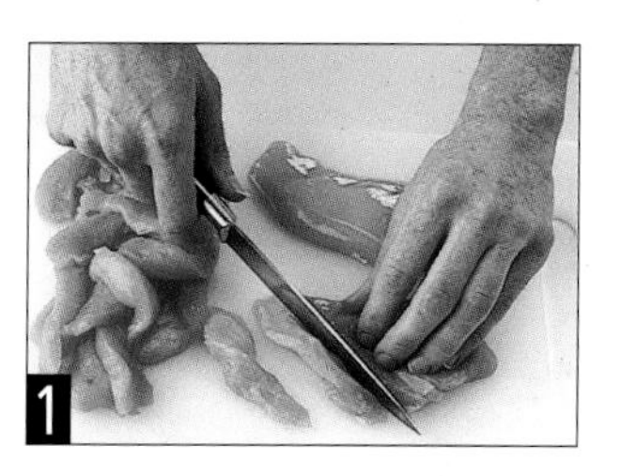
1

2

brochettes de bœuf

4 personnes

8 oignons verts
700 g de viande de bœuf, coupé en cubes
8 tomates cerises, coupées en deux
1 cuil. à café de moutarde en grains
1 cuil. à café de sauce worcester
½ cuil. à café de vinaigre balsamique
4 cuil. à soupe d'huile de maïs
sel et poivre

1 Couper les oignons verts en morceaux de 10 à 13 cm de long et couper en deux dans la longueur. Piquer la viande, les oignons verts et les tomates cerises en alternance sur 4 brochettes en bambou pré-trempées et disposer sur une grille.

CONSEIL

Il est plus rapide d'utiliser des brochettes en métal car les brochettes en bois doivent tremper 30 minutes dans de l'eau chaude pour éviter qu'elles ne brûlent au cours de la cuisson.

2 Dans une terrine, mélanger la moutarde, la sauce worcester et le vinaigre, incorporer l'huile et saler et poivrer selon son goût.

3 Enduire les brochettes du mélange obtenu, passer au gril préchauffé 4 minutes et retourner. Enduire de nouveau du mélange, cuire encore 4 minutes et transférer dans un plat de service. Servir immédiatement.

satays de porc

4 personnes

500 g de filet de porc
SAUCE
150 g de cacahuètes non salées
2 cuil. à café de sauce au piment
180 ml de lait de coco
2 cuil. à soupe de sauce de soja
1 cuil. à soupe de coriandre
en poudre
1 pincée de curcuma en poudre
1 cuil. à soupe de sucre roux
sel
GARNITURE
feuilles de persil ou de coriandre
feuilles de concombre
piments rouges frais

CONSEIL

Couper un morceau de concombre dans l'épaisseur, découper la forme d'une feuille et creuser les sillons des nervures de façon figurer une feuille.

1 Pour la sauce, mettre les cacahuètes sur une plaque de four, passer au gril préchauffé en retournant une ou deux fois jusqu'à ce qu'elles soient dorées et laisser refroidir. Mixer dans un robot de cuisine ou concasser finement.

2 Dans une casserole, mettre les cacahuètes, la sauce au piment, le lait de coco, la sauce de soja, la coriandre en poudre, le curcuma et le sucre, saler selon son goût et chauffer à feu doux sans cesser de remuer et sans laisser attacher. Réduire le feu et laisser mijoter 5 minutes.

2

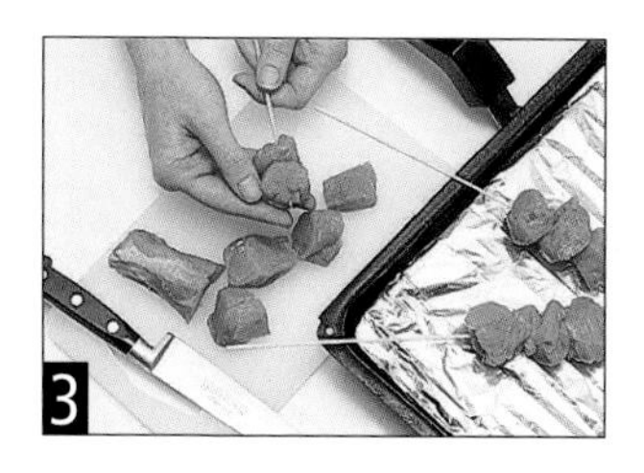
3

3 Dégraisser le porc, couper en cubes et piquer sur des brochettes en bambou pré-trempées. Disposer sur sur une grille chemisée de papier d'aluminium.

4 Enduire la viande avec la moitié de la sauce et passer au gril préchauffé 10 minutes en retournant et en enduisant de sauce régulièrement les 5 premières minutes, jusqu'à ce que la viande soit bien cuite.

5 Servir le porc accompagné de la sauce restante et garni de persil ou de coriandre, de feuilles de concombre et de piments rouges.

bouchées croustillantes au lard

4 personnes

12 tranches de lard
12 dates, pruneaux,
noix de Saint-Jacques
ou châtaignes d'eau

1 Maintenir fermement une tranche de lard à l'aide d'une fourchette sur une planche à découper, étirer et attendrir à l'aide à l'aide d'un couteau.

2 Disposer une date à une extrémité de chaque tranche de lard, enrouler et maintenir à l'aide d'une pique à cocktail.

3 Préchauffer un gril ou une poêle à fond rainuré, ajouter les bouchées et cuire 5 à 10 minutes, jusqu'à ce que le lard soit doré et croustillant. Il est également possible de cuire les bouchées au lard au four préchauffé, à 200 °C (th. 6-7), 25 à 30 minutes, jusqu'à ce qu'elles soient bien cuites.

4 Transférer dans un plat de service et servir immédiatement.

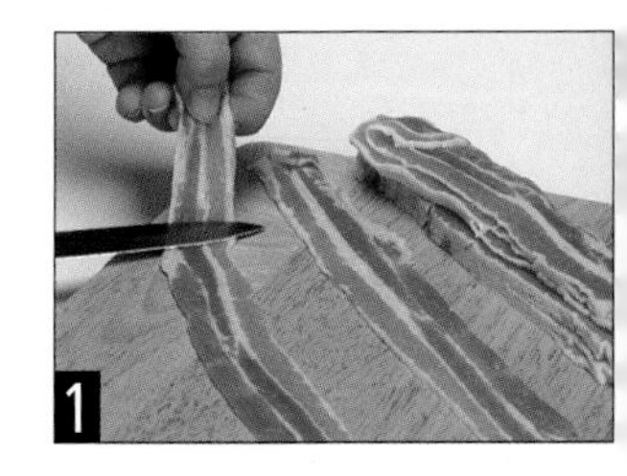

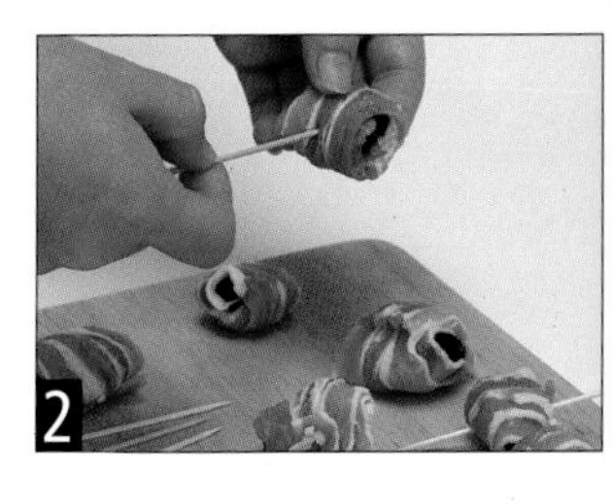

VARIANTE

Remplacez le lard par du prosciutto enrobé d'huile aux fines herbes.

roulés aux trois saveurs

pour 50 à 60 roulés

ROULÉS AU JAMBON
ET AU FROMAGE FRAIS
180 g de fromage frais
4 tranches de jambon maigre
4 cuil. à soupe de ciboulette fraîche hachée

ROULÉS AU BŒUF ET À LA SAUCE
AU RAIFORT
120 ml de crème fraîche épaisse
2 cuil. à soupe de sauce au raifort
4 tranches de rôti de bœuf fines

ROULÉS AU SAUMON ET À L'ANETH
250 ml de crème fraîche épaisse
2 cuil. à soupe d'aneth fraîche hachée
poivre
4 grandes ou 8 petites tranches de saumon fumé
4 cuil. à soupe de jus de citron

1 Pour les roulés au jambon et au fromage frais, napper les tranches de jambon de fromage frais, parsemer de ciboulette et rouler chaque tranche fermement. Envelopper de film alimentaire et mettre au réfrigérateur 1 heure.

2 Pour les roulés au bœuf et à la sauce au raifort, fouetter la crème fraîche, incorporer la sauce au raifort et napper les tranches de bœuf de la préparation obtenue. Rouler chaque tranche fermement, envelopper de film alimentaire et mettre au réfrigérateur 1 heure.

3 Pour les roulés au saumon et à l'aneth, fouetter la crème fraîche dans une terrine, incorporer l'aneth et poivrer selon son goût. Napper les tranches de saumon de la préparation obtenue et rouler fermement. Envelopper de film alimentaire et mettre au réfrigérateur 1 heure.

4 Retirer le film alimentaire des roulés au jambon et au bœuf et couper en bouchées. Retirer le film alimentaire du roulé au saumon, arroser de jus de citron et couper en bouchées. Piquer chaque bouchée à l'aide d'une pique à cocktail et disposer sur un plat de service.

1

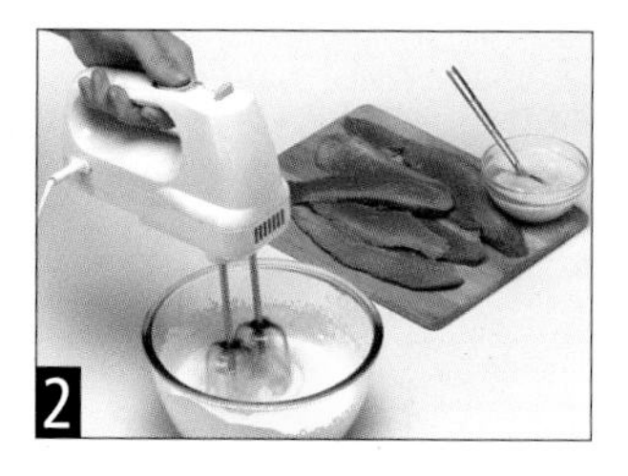
2

3

travers de porc rôti au miel et au piment

pour 30 travers de porc

2 cuil. à soupe d'huile d'arachide ou de maïs
1 oignon, haché
1 gousse d'ail, finement hachée
1 piment vert frais, épépiné et haché
3 cuil. à soupe de miel
2 cuil. à soupe de concentré de tomates
1 cuil. à soupe de vinaigre de vin blanc
1 pincée de poudre de piment
160 ml de bouillon de poulet
800 g de travers de porc

1 Préchauffer le four à 190 °C (th. 6-7). Dans une poêle, chauffer l'huile à feu moyen, ajouter l'oignon, l'ail et le piment, et cuire 5 minutes en remuant de temps en temps, jusqu'à ce qu'ils soient tendres. Incorporer le miel, le concentré de tomates, le vinaigre et la poudre de piment, mouiller avec le bouillon et porter à ébullition. Réduire le feu et laisser mijoter 15 minutes à feu doux, jusqu'à ce que la sauce ait épaissi.

2 Couper les travers de porc en morceaux de 5 cm de long, disposer dans un plat allant au four et napper de la préparation précédente. Retourner les travers de sorte qu'ils soient enrobés uniformément, et cuire au four préchauffé, 1 heure, en tournant et en enduisant de sauce fréquemment, jusqu'à ce que la viande soit dorée et caramélisée.

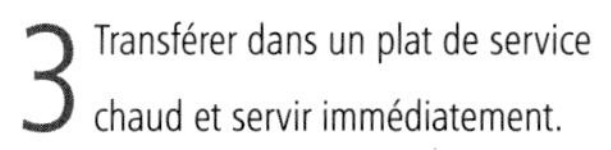

3 Transférer dans un plat de service chaud et servir immédiatement.

1

petites saucisses thaïes

4 personnes

400 g de viande de porc hachée
200 g de riz cuit
1 gousse d'ail, hachée
1 cuil. à café de pâte de curry rouge
1 cuil. à café de poivre
1 cuil. à café de coriandre en poudre
½ cuil. à café de sel
3 cuil. à soupe de jus de citron
2 cuil. à soupe de coriandre fraîche hachée
3 cuil. à soupe d'huile d'arachide
sauce de soja, en accompagnement
rondelles de concombre, en garniture
lanières de piment rouge frais

CONSEIL

Ces petites saucisses peuvent être servies en apéritif si vous réduisez leur taille pour faire 16 mini-saucisses. Servez-les avec de la sauce de soja.

1 Dans une terrine, mettre le porc, le riz, l'ail, la pâte de curry, le poivre, la coriandre en poudre, le sel, le jus de citron et la coriandre fraîche, et malaxer de façon à homogénéiser.

1

2 Façonner 12 petites saucisses avec les mains ou farcir des boyaux de porc en enroulant le boyau sur lui-même à intervalles réguliers de façon à obtenir 12 saucisses.

2

3 Dans une poêle, chauffer l'huile à feu moyen, ajouter les saucisses et cuire en plusieurs fois 8 à 10 minutes en les retournant de temps en temps, jusqu'à ce qu'elles soient bien cuite et dorées uniformément. Transférer dans un plat de service, garnir de rondelles de concombre et de lanières de piment, et servir accompagné de sauce de soja.

3

petites bouchées à la saucisse

pour 58 bouchées

16 grosses saucisses
4 cuil. à soupe de moutarde de Dijon
48 pruneaux non pré-trempés
16 tranches de lard fumé

VARIANTE

Essayez de remplacer les pruneaux par des abricots secs et la moutarde de Dijon par une autre moutarde de votre choix, comme la moutarde en grains. Essayez des saucisses différentes, épicées ou aux fines herbes.

1 Pratiquer une incision profonde sur toute la longueur des saucisses, sans les couper complètement, napper le sillon de moutarde et disposer 3 pruneaux à l'intérieur en pressant bien les bords de la saucisse.

2 Étirer les tranches de lard à l'aide d'un couteau et enrouler les saucisses de façon à les maintenir fermées.

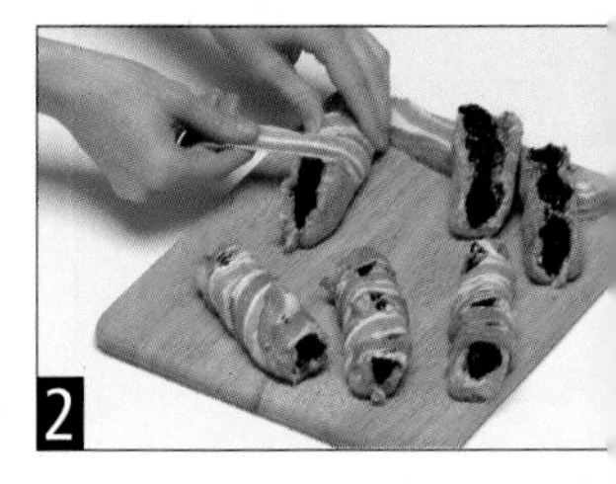

3 Passer les saucisses au gril préchauffé, 15 minutes en les retournant souvent, jusqu'à ce qu'elles soient bien cuites. Transférer sur une planche à découper, couper les saucisses en trois de sorte que chaque bouchée contienne un pruneau et piquer à l'aide d'une pique à cocktail. Disposer dans un plat de service et servir immédiatement.

frittata au chorizo et aux olives

4 personnes

55 g de beurre
1 petit oignon, finement haché
1 petit poivron vert ou rouge, épépiné et finement haché
2 tomates, épépinées et coupées en dés
2 petites pommes de terre, cuites et coupées en morceaux
125 g de chorizo, finement haché
8 olives noires ou vertes, dénoyautées et finement hachées
8 gros œufs
2 cuil. à soupe de lait
sel et poivre
55 g de cheddar, râpé
GARNITURE
mesclun
lanières de piments

1 Dans une grande poêle, faire fondre le beurre à feu modéré, ajouter l'oignon, le poivron et les tomates, et faire revenir 3 à 4 minutes, jusqu'à ce que les légumes soient tendres. Incorporer les pommes de terre, le chorizo et le olives, et laisser mijoter 5 minutes à feu doux. Dans une terrine, battre le œufs avec le lait et saler et poivrer.

2 Verser le mélange à base d'œuf sur les légumes, réduire le feu et cuire en soulevant régulièrement les bords de façon à faire passer les œufs non pris sous la base, jusqu'à ce que les œufs soient presque pris.

3 Parsemer de fromage, passer au gril préchauffé 2 minutes, jusqu'à ce que le fromage soit fondu et doré, et retirer du gril. Laisser refroidir, couper en quartiers et garnir de mesclun et de lanières de piment.

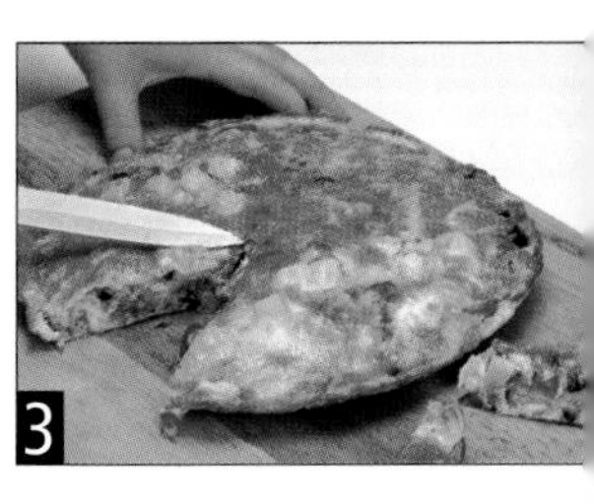

Quesadillas au chorizo

4 à 6 personnes

1 chorizo

1 gros piment vert frais ou 1 poivron vert (facultatif)

8 à 10 cœurs d'artichauts marinés ou de cœurs d'artichauts en boîte, égouttés et coupés en dés

4 tortillas de maïs, chaudes

2 gousses d'ail, finement hachées

350 g de fromage, râpé

1 tomate, coupée en dés

2 oignons verts, finement hachés

1 cuil. à soupe de coriandre fraîche hachée

1 Couper le chorizo en dés, chauffer une poêle et ajouter le chorizo. Cuire jusqu'à ce qu'il soit doré par endroits.

2 Passer le piment ou le poivron au gril préchauffé, 10 minutes, jusqu'à ce que la peau noircisse et que la chair soit tendre, mettre dans un sac en plastique et laisser reposer 20 minutes. Retirer la peau, épépiner et hacher la chair à l'aide d'un couteau tranchant.

3 Disposer le chorizo et les cœurs d'artichauts sur les tortillas, et transférer sur une plaque de four.

4 Parsemer d'ail et de fromage râpé, passer au gril jusqu'à ce que le fromage fonde et répéter l'opération avec les tortillas restantes.

5 Parsemer de dés de tomate, d'oignons verts, de piment ou de poivron, et de coriandre, couper en quartiers et servir immédiatement.

travers de porc à la chinoise

4 personnes

1 kg de travers de porc à la chinoise
½ citron
½ petite orange
1 morceau de gingembre de 2,5 cm
2 gousses d'ail
1 petit oignon, haché
2 cuil. à soupe de sauce de soja
2 cuil. à soupe d'alcool de riz ou de xérès sec
½ cuil. à café de poudre de sept-épices thaïe
2 cuil. à soupe de miel
1 cuil. à soupe d'huile de sésame
rondelles de citron, en garniture
quartiers d'orange, en garniture

CONSEIL

Si vous n'avez pas de robot de cuisine, râpez le zeste et pressez les agrumes. râpez le gingembre, hachez l'ail et l'oignon. Mélangez ces ingrédients avec les ingrédients restants.

1 Préchauffer le four à 180 °C (th. 6). Mettre les travers de porc dans un plat allant au four, couvrir de papier d'aluminium et cuire au four préchauffé, 30 minutes.

2 Retirer les pépins du citron et l'orange, mettre dans un robot de cuisine et ajouter le gingembre, l'ail, l'oignon, la sauce de soja, l'alcool de riz, les épices, le miel et l'huile. Réduire en purée.

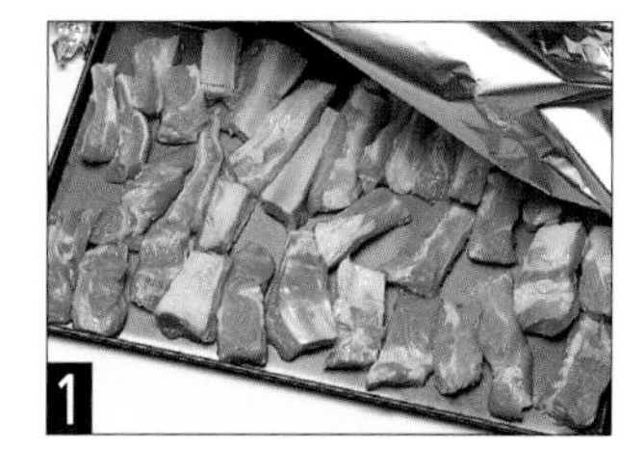
1

3 Augmenter la température du four à 200 °C (th. 6-7), dégraisser les travers de porc et napper avec la préparation précédente en retournant de façon à enrober uniformément.

4 Cuire au four préchauffé encore 40 minutes, en retournant et en enduisant de sauce fréquemment, jusqu'à ce que les travers soient dorés, garnir de rondelles de citron et de quartiers d'orange, et servir.

3

4

Poissons

Les plats de poisson sont le plus souvent sophistiqués et élégants, surtout lorsqu'un soin tout particulier a été apporté à leur présentation. Vous trouverez ici les grands classiques, comme les œufs à la diable (page 134), les ramequins aux crevettes à l'anglaise (page 136) et les bouchées des anges et du diable (page 155), accompagné de spécialité exotiques aux fruits de mer comme les gâteaux de crabe des caraïbes (page 145) et les beignets de crevette à la sauce pimentée (page 138). Certains morceaux de poisson sont tout désignés pour être enrobés dans une sauce délicate, tels les boulettes de poisson au persil (page 144) et les gâteaux de poisson à l'aigre douce (page 150). Une présentation originale mettra l'eau à la bouche de vos invités, essayez les wontons de crabe croustillants (page 146) et les moules au beurre épicé (page 147).

œufs à la diable

4 personnes

8 œufs, durs

2 cuil. à soupe de thon en boîte, égoutté et émietté

4 anchois à l'huile d'olive, égouttés en réservant 1 cuil. à café d'huile, grossièrement hachés

6 olives noires, dénoyautées

1 cuil. à café de câpres

CONSEIL

Vous pouvez utiliser l'huile du thon s'il est conservé dans de l'huile d'olive. Vous pouvez également ajouter de l'huile d'olive vierge extra ou aromatisée.

1 Écaler les œufs, couper en deux dans la longueur et transférer le jaune dans une terrine ou un robot de cuisine. Ajouter le thon, 2 anchois, 4 olives et les câpres.

2 Réduire en purée en ajouter l'huile des anchois réservée de façon à obtenir une consistance homogène.

3 Disposer les blancs d'œufs dans un plat de service et garnir de préparation à l'aide d'une petite cuillère ou d'une poche à douille munie d'un embout en forme d'étoile.

4 Couper les anchois et les olives restants en fines lanières, parsemer les œufs et servir immédiatement.

ramequins aux crevettes à l'anglaise

8 personnes

280 g de beurre
3 fleurs de muscade
1 pincée de noix muscade râpée
1 pincée de poivre de Cayenne
450 g de crevettes, cuites
et décortiquées

GARNITURE
brins de persil frais
rondelles de citron
toasts de pain complet, tartinés
de beurre

1 Dans une poêle, mettre 175 g du beurre, ajouter les fleurs de muscade, la noix muscade râpée et le poivre de Cayenne, et faire fondre à feu très doux en remuant de temps en temps.

2 Ajouter les crevettes et cuire 2 minutes sans cesser de remuer, jusqu'à ce que les crevettes soient cuites, sans laisser bouillir.

2

3 Retirer la poêle du feu, retirer les fleurs de muscade et transférer dans 8 ramequins en lissant la surface. Couvrir, laisser refroidir et mettre au réfrigérateur jusqu'à ce que la préparation ait pris.

4 Dans une casserole, mettre le beurre restant, faire fondre à feu doux et écumer la mousse formée à la surface. Verser délicatement le liquide obtenu dans les ramequins en laissant la crème blanche dans le fond de la poêle, couvrir et remettre au réfrigérateur.

3

5 Garnir les ramequins de rondelles de citron et de brins de persil, et servir accompagné de toasts de pain complet tartinés de beurre.

5

beignets de crevettes à la sauce pimentée

pour 16 beignets

SAUCE AU PIMENT

- 1 petit piment rouge thaï frais, épépiné
- 1 cuil. à café de miel
- 4 cuil. à soupe de sauce de soja

BEIGNETS DE CREVETTES

- 2 cuil. à soupe de coriandre hachée
- 1 gousse d'ail
- 1 cuil. à café de pâte de curry rouge thaïe
- 16 feuilles de pâte à wonton
- 1 blanc d'œuf, légèrement battu
- 16 crevettes crues, décortiquées en laissant la queue
- huile de maïs, pour la friture

1 Pour la sauce, hacher finement le piment, mettre dans une terrine et ajouter le miel et la sauce de soja. Réserver.

2 Pour les beignets, hacher finement la coriandre et l'ail, mettre dans une terrine avec la pâte de curry thaïe et bien mélanger.

3 Enduire chaque feuille de pâte à wonton de blanc d'œuf, déposer un peu de la préparation précédente et disposer une crevette dessus.

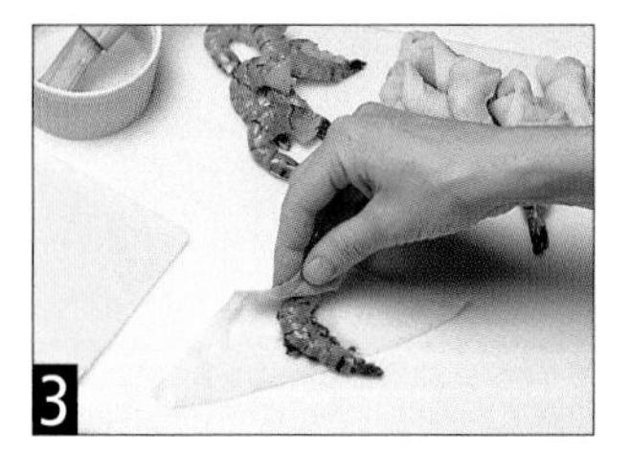

4 Replier la pâte à wonton de faço à envelopper la crevette en laissant dépasser la queue et répéter l'opération avec les crevettes restantes

5 Dans une sauteuse, chauffer l'huile à 180-190 °C, un dé de pain doit y dorer en 30 secondes. Faire frire les beignets 1 à 2 minutes en plusieurs fois, jusqu'à ce qu'ils soient dorés et croustillants, égoutter sur du papier absorbant et servir accompagné de la sauce au piment.

VARIANTE

Si vous préférez, remplacez la pâte à wonton par de la pâte filo – utilisez une longue bande de pâte, mettez l'assaisonnement et la crevette à une extrémité, enduisez de blanc d'œuf et roulez. Faites frire comme indiqué ici.

·ouleaux à la crevette

pour 30 rouleaux

50 g de vermicelle de riz sec
1 carotte, en julienne
50 g de pois mangetout, finement ciselés dans la longueur
3 oignons verts, finement hachés
100 g de crevettes cuites et décortiquées
2 gousses d'ail, hachées
1 cuil. à café d'huile de sésame
2 cuil. à soupe de sauce de soja claire
1 cuil. à café de sauce au piment
200 g de pâte filo, coupée en carrés de 15 cm de côté
1 blanc d'œuf, battu
600 ml d'huile, pour la friture
sauce de soja noire, sauce au piment ou sauce aigre-douce (page 150), en accompagnement

1 Cuire le vermicelle de riz selon les instructions figurant sur le paquet, égoutter et hacher. Porter une casserole d'eau salée à ébullition, ajouter les carottes et les pois mangetout, et blanchir 1 minute. Égoutter, rafraîchir à l'eau courante et égoutter de nouveau sur du papier absorbant. Mélanger les nouilles, les oignons verts, l'ail, les crevettes, l'huile de sésame, la sauce de soja et la sauce au piment, et réserver.

2 Plier les carrés de pâte filo en deux de façon à obtenir des triangles, placer le triangle base vers soi et déposer 1 cuillerée de farce au centre du triangle. Enrouler la base sur la farce, replier les pointes latérales vers le centre de façon à maintenir la base sur la farce et enduire la pointe restante de blanc d'œuf. Enrouler la pointe enduite sur le tout de façon à obtenir un rouleau.

3 Dans une sauteuse, chauffer l'huile à 180-190 °C, un dé de pain doit y dorer en 30 secondes. Ajouter quelques rouleaux et cuire 4 à 5 minutes, jusqu'à ce qu'ils soient dorés et croustillants. Égoutter sur du papier absorbant, réserver au chaud et cuire les rouleaux restants.

4 Servir les rouleaux accompagné de sauce de soja, de sauce au piment ou de sauce aigre-douce pour tremper.

toasts au poulet et aux crevettes

pour 72 toasts

4 blancs de poulet, sans la peau
100 g de crevettes, cuites et décortiquées
1 petit œuf, battu
3 oignons verts, finement hachés
2 gousses d'ail, hachées
2 cuil. à soupe de coriandre fraîche hachée
1 cuil. à soupe de sauce de poisson thaïe
sel et poivre
12 tranches de pain de mie, croûtes retirées
40 g de graines de sésame
huile de maïs, pour la friture
lanières d'oignons verts, en garniture

1 Disposer le poulet et les crevettes dans un robot de cuisine, mixer jusqu'à ce qu'ils soient finement hachés et ajouter l'œuf, les oignons verts, l'ail, la coriandre et la sauce de poisson. Saler et poivrer selon son goût, mixer de nouveau quelques secondes et transférer dans une terrine.

2 Couvrir totalement les tranches de pain avec la préparation obtenue, mettre les graines de sésame dans une assiette et presser les toasts, côté garniture vers le bas, sur les graines de sésame.

3 Couper chaque tranche de pain en 6 petits rectangles.

VARIANTE

Si vous prévoyez cette recette pour une soirée, préparez les toasts à l'avance et conservez-les au réfrigérateur 3 jours dans un récipient hermétique ou au congélateur 1 mois dans un sac plastique. Faites-les décongeler toute une nuit au réfrigérateur et réchauffez-les 5 minutes au four.

4 Dans une poêle, verser 1 cm d'huile, chauffer jusqu'à ce qu'elle soit très chaude et faire frire les rectangles 2 à 3 minutes en les retournant une fois, jusqu'à ce qu'ils soient dorés.

5 Égoutter sur du papier absorbant transférer dans un plat de service et garnir de lanières d'oignons verts. Servir chaud.

** Excellent +++ avec chip de pita maison

triangles de tortilla aux crevettes

8 à 10 personnes

500 g de crevettes, cuites et décortiquées
4 gousses d'ail, finement hachées
½ cuil. à café de poudre de piment
½ cuil. à café de cumin en poudre
jus d'un citron vert
1 tomate mûre, coupée en dés
sel
6 tortillas de maïs
huile, pour la cuisson
2 avocats
250 ml de crème aigre
poudre de piment, pour saupoudrer
quartiers de citron vert, en accompagnement

1 Dans une terrine non métallique, mettre les crevettes, l'ail, la poudre de piment, le cumin, le jus de citron vert et la tomate, saler selon son goût et mélanger. Couvrir et mettre au réfrigérateur 4 heures ou toute une nuit de sorte que les saveurs s'exhalent.

2 Couper les tortillas en quartiers, chauffer de l'huile dans une poêle antiadhésive et ajouter des quartiers de tortillas. Cuire à feu modéré jusqu'à ce qu'ils soient dorés et répéter l'opération avec les quartiers restants.

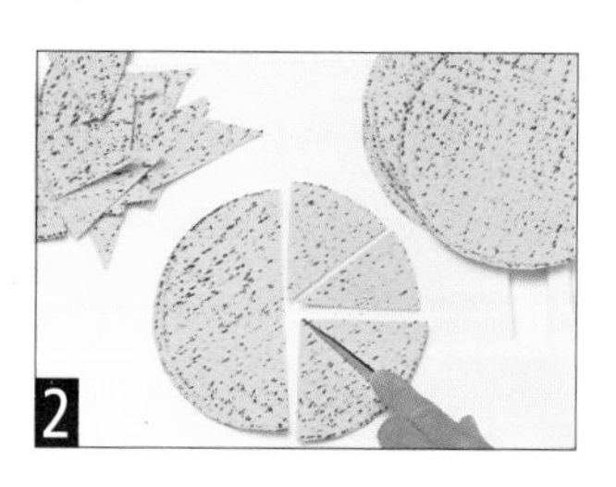

3 Couper les avocats en deux, retirer le noyau et peler. Couper la chair en dés et incorporer l'avocat à préparation précédente.

4 Disposer les quartiers de tortilla dans un plat de service, garnir de la préparation à base de crevettes et d'avocat, et napper de crème aigre. Saupoudrer légèrement de poudre de piment et servir chaud, accompagn de quartiers de citron vert.

CONSEIL

Pour plus de rapidité, utilisez des chips de maïs au lieu de faire griller les tortillas de maïs.

VARIANTE

Remplacez les crevettes par de la mozzarella émiettée et laissez macérer quelques heures.

boulettes de poisson persillées

4 personnes

450 g de filet de poisson blanc, sans la peau
1 oignon, coupé en quartiers
2 œufs
4 cuil. à soupe de chapelure
1 cuil. à soupe de persil frais haché
sel et poivre
huile, pour la friture
sauce aigre-douce (page 150), en accompagnement

1 Couper le poisson en morceaux, mettre dans un robot de cuisine avec l'oignon et mixer jusqu'à obtention d'une pâte épaisse. Transférer dans une terrine.

2 Ajouter les œufs et la chapelure, mélanger et ajouter le persil. Saler et poivrer selon son goût.

3 Dans un wok préchauffé, chauffer l'huile à 180-190 °C, un dé de pain doit y dorer en 30 secondes.

4 Façonner des boulettes de préparation à base de poisson mettre dans l'huile et cuire jusqu'à ce qu'elles soient dorées. Retirer de l'huile et égoutter sur du papier absorbant.

5 Servir les boulettes de poisson chaudes ou à température ambiante, accompagné de sauce aigre-douce.

1

2

4

gâteaux de crabe des caraïbes

pour 16 gâteaux

1 pomme de terre, coupée en dés
4 oignons verts, hachés
1 gousse d'ail, hachée
1 cuil. à soupe de thym frais haché
1 cuil. à soupe de basilic frais haché
1 cuil. à soupe de coriandre fraîche hachée
225 g de chair de crabe blanche, égouttée et décongelée si nécessaire
½ cuil. à café de moutarde de Dijon
½ piment vert frais, épépiné et finement haché
1 œuf, légèrement battu
sel et poivre
farine, pour saupoudrer
huile de maïs, pour la friture
quartiers de citron vert, en garniture
sauce ou salsa, selon son goût

1 Mettre la pomme de terre dans une casserole, couvrir d'eau et ajouter 1 pincée de sel. Porter à ébullition, réduire le feu et couvrir. Laisser mijoter 10 à 15 minutes, jusqu'à ce qu'elle soit tendre, égoutter et transférer dans une terrine. Réduire en purée à l'aide d'une fourchette.

2 Dans un mortier, piler les oignons verts, l'ail, le thym, le basilic et la coriandre, piler jusqu'à obtention d'une pâte et ajouter la préparation obtenue à la purée de pomme de terre avec la chair de crabe, la moutarde, la poudre de piment et l'œuf. Poivrer selon son goût, couvrir de film alimentaire et mettre au réfrigérateur 30 minutes.

3 Mettre la farine dans une assiette, façonner les gâteaux de crabe et passer dans la farine en secouant de façon à retirer l'excédent de farine. Dans une sauteuse, chauffer l'huile à feu fort, ajouter des gâteaux de crabe et cuire 2 à 3 minutes de chaque côté jusqu'à ce qu'ils soient dorés. Retirer de la poêle, égoutter sur du papier absorbant et réserver au chaud. Répéter l'opération avec les gâteaux de crabe restants.

4 Disposer les gâteaux de crabe dans un plat de service, garnir de quartiers de citron vert et servir accompagné de salsa ou de sauce selon son goût.

1

2

3

wontons au crabe croustillants

4 personnes

175 g de chair de crabe blanche, émiettée
50 g de châtaignes d'eau en boîte, égouttées, rincées et hachées
1 petit piment rouge frais, haché
1 oignon vert, haché
1 cuil. à soupe de maïzena
1 cuil. à café de xérès sec
1 cuil. à café de sauce de soja claire
½ cuil. à café de jus de citron vert
24 feuilles de pâte à wonton
huile, pour la friture
quartiers de citron vert, en garniture

1 Pour la farce, mélanger la chair de crabe, les châtaignes d'eau, le piment, l'oignon vert, la maïzena, le xérès, la sauce de soja et le jus de citron vert.

2 Étaler les feuilles de pâte à wonton et garnir chacune de farce.

3 Humecter la marges de pâte, plier en triangles de façon à enfermer la farce et replier vers le centre les deux pointes de la base du triangle en humectant bien. Pincer fermement de sorte que les wontons ne s'ouvrent pas à la friture.

4 Dans une sauteuse, chauffer l'huile à 180-190 °C, un dé de pain doit y brunir en 30 secondes. Faire frire les wontons en plusieurs fois, 2 à 3 minutes, jusqu'à ce qu'ils soient dorés et croustillants, retirer de l'huile et égoutter sur du papier absorbant.

5 Servir chaud, garni de quartiers de citron vert.

1

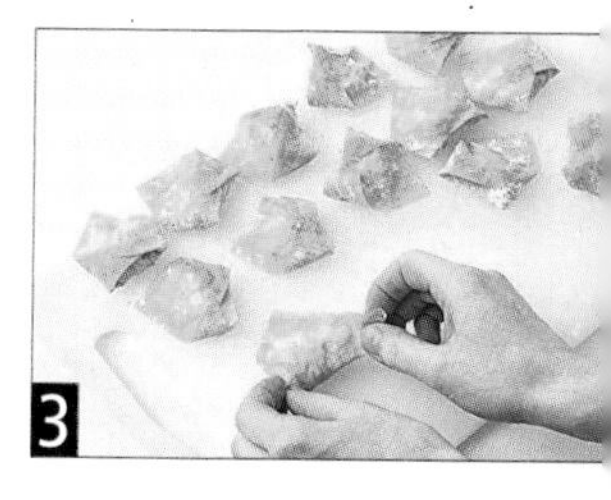

3

4

CONSEIL

Manipulez les feuilles de pâte à wonton avec précaution car elle sont fragiles. Assurez-vous que les wontons sont bien scellés avant de passer en friture car ils pourraient s'ouvrir et libérer la farce dans l'huile.

moules au beurre épicé

4 personnes

40 grosses moules dans leur coquille
2 cuil. à soupe de farine
2 cuil. à soupe de farine de riz
½ cuil. à café de sel
1 cuil. à soupe de noix de coco déshydratée
1 blanc d'œuf
1 cuil. à soupe d'alcool de riz
2 cuil. à soupe d'eau
1 piment rouge, épépiné et haché
1 cuil. à soupe de coriandre hachée
huile de maïs, pour la friture
quartiers de citron vert, en garniture

1 Rincer les moules à l'eau courante, gratter la coquille et ébarber. Jeter les moules dont la coquille est cassée et celles qui ne se ferment pas au toucher, mettre dans une casserole et couvrir. Cuire 3 à 4 minutes en secouant la casserole de temps en temps, jusqu'à ce que les moules soient ouvertes, égoutter et laisser refroidir. Jeter les moules qui sont restées fermées.

2 Pour la pâte, tamiser les farines et le sel dans une terrine, ajouter la noix de coco, le blanc d'œuf, l'alcool de riz et l'eau, et battre jusqu'à obtention d'une pâte. Incorporer le piment et la coriandre.

3 Dans une sauteuse, chauffer 5 cm d'huile à 180-190°C, un dé de pain doit y dorer en 30 secondes. Plonger les moules rapidement dans la pâte à l'aide d'une fourchette et mettre dans l'huile. Faire frire 1 à 2 minutes, jusqu'à ce qu'elles soient croustillantes et dorées.

CONSEIL

Réservez les coquilles des moules et disposez les moules frites dedans pour une jolie présentation.

4 Égoutter sur du papier absorbant et servir chaud accompagné de quartiers de citron.

calmars frits

4 personnes

75 g de farine
1 cuil. à café de sel
2 œufs
180 ml d'eau gazeuse
450 g de calmars
600 ml d'huile, pour la friture
GARNITURE
quartiers de citron
brins de persil frais

CONSEIL

Si vous ne tenez pas à parer les calmars vous-même, faites le faire par votre poissonnier ou achetez-les prêts à l'emploi. Vous pouvez également préparer cette recette avec des mini calmars prêts à l'emploi.

1 Tamiser la farine et le sel dans une terrine, ajouter les œufs et la moitié de l'eau gazeuse, et battre jusqu'à obtention d'une consistance homogène. Incorporer progressivement l'eau gazeuse restante et réserver.

2 Pour parer les calmars, tenir solidement le corps et saisir les tentacules à l'intérieur du corps. Retirer les viscères en tirant fermement et retirer l'os transparent. Saisir les nageoires à l'extérieur du corps et tirer pour retirer la peau rosâtre. Couper les tentacules juste en dessous du bec et réserver.

3 Rincer à l'eau courante, couper les corps en anneaux de 1 cm d'épaisseur et égoutter sur du papier absorbant.

4 Remplir une sauteuse aux deux tiers d'huile et chauffer à 180-190 °C, un dé de pain doit y dorer en 30 secondes.

5 Plonger quelques anneaux et tentacules dans la pâte, mettre dans l'huile et faire frire 1 à 2 minutes jusqu'à ce qu'ils soient dorés. Égoutter sur du papier absorbant, réserver au chaud et répéter l'opération avec le calmar restant. Transférer dans un plat de service, parsemer de persil et servir chaud, garni de quartiers de citron.

1

3

5

gâteaux de poisson à l'aigre-douce

pour 16 gâteaux

450 g de poisson blanc ferme, haddock, colin ou cabillaud, sans la peau et émietté
1 cuil. à soupe de sauce de poisson
1 cuil. à soupe de pâte de curry rouge
1 feuille de lime kafir, ciselée
2 cuil. à soupe de coriandre fraîche hachée
1 œuf
1 cuil. à café de sucre
sel
40 g de haricots verts, finement émincés en biais
huile, pour la cuisson

SAUCE AIGRE-DOUCE
4 cuil. à soupe de sucre
1 cuil. à soupe d'eau froide
3 cuil. à soupe de vinaigre de riz
2 petits piments rouges frais, finement hachés
1 cuil. à soupe de sauce de poisson

GARNITURE
fleurs de piment
pompons d'oignon vert

1 Dans un robot de cuisine, mixer le poisson, la sauce de poisson, la pâte de curry, la feuille de lime, l'œuf, la coriandre et le sucre, saler selon son goût et transférer dans une terrine avec les haricots verts. Réserver.

1

2 Pour la sauce, mettre le sucre, l'eau et le vinaigre dans une casserole, chauffer à feu doux jusqu'à ce que le sucre soit dissous et porter à ébullition. Réduire le feu, laisser mijoter 2 minutes et retirer du feu. Incorporer les piments et la sauce de poisson, et réserver.

2

3 Verser de l'huile dans une poêle de façon à bien couvrir le fond, diviser la préparation à base de poisson en 16 galettes et cuire dans l'huile 1 à 2 minutes de chaque côté, jusqu'à ce qu'elles soient dorées. Égoutter sur du papier absorbant, garnir de fleurs de piment et de pompons d'oignon vert et servir chaud avec la sauce.

3

CONSEIL

Il n'est pas nécessaire d'utiliser la meilleure qualité de poisson dans cette recette car les saveurs sont très fortes et masqueront son goût.

boulettes de riz au crabe et au fromage

4 personnes

250 g de riz cuit
175 g de chair de crabe blanche, émiettée
3 oignons verts, finement hachés
2 cuil. à soupe de mayonnaise
50 g de fromage râpé, mozzarella, fontina ou gruyère, par exemple
1 pincée de poivre de Cayenne
1 cuil. à soupe de persil frais finement haché
2 œufs
huile, pour la friture
2 cuil. à soupe de farine
chapelure, pour enrober

1 Dans une terrine, mélanger le riz, la chair de crabe, les oignons verts, la mayonnaise, le fromage, le poivre de Cayenne, le persil et 1 œuf, couvrir de film alimentaire et mettre au réfrigérateur 2 heures, ou toute une nuit.

2 Les mains mouillées, façonner des boulettes avec la préparation à base de poisson, couvrir et mettre au réfrigérateur 30 minutes.

3 Dans un wok, chauffer l'huile à 180-190 °C, un dé de pain doit y dorer en 30 secondes.

4 Dans une terrine, battre l'œuf restant, passer les boulettes dans la farine et tremper rapidement dans l'œuf battu en enrobant bien et en secouant de façon à retirer l'excédent.

5 Rouler les boulettes dans la chapelure, presser délicatement et fermement, et secouer de façon à retirer l'excédent. Faire frire dans l'huile chaude 5 minutes, jusqu'à ce que les boulettes soient dorées et croustillantes, égoutter et servir chaud ou froid.

1

1

5

hachis au hareng et à la pomme

4 personnes

- 4 rollmops marinés aux oignons
- 2 œufs durs
- 1 pomme à couteau
- 1 cuil. à soupe de chapelure

1 Retirer la peau des rollmops et mettre dans une terrine.

2 Hacher les oignons et ajouter dans la terrine. Écaler les œufs et ajouter dans la terrine. Peler, évider et hacher la pomme, et ajouter dans la terrine.

3 Incorporer la chapelure et transférer dans un plat de service. Couvrir de film alimentaire, mettre au réfrigérateur et réserver, ou servir immédiatement.

CONSEIL

Le hareng haché se marie bien avec la texture des gressins ou des crackers, qui peuvent accompagner cette recette.

›ouchées du diable et des anges

pour 32 bouchées

3OUCHÉES DU DIABLE

3 tranches de lard maigre

3 anchois en boîte, égouttés

16 amandes, blanchies

16 pruneaux

3OUCHÉES DES ANGES

3 tranches de lard maigre

16 huîtres fumées en boîte, égouttées

1 Préchauffer le four à 200 °C (th. 6-7). Pour les bouchées du diable, couper chaque tranche de lard en deux dans la longueur, étirer à l'aide d'un couteau et couper les anchois en deux dans la longueur. Envelopper les amandes de lanières d'anchois, insérer le tout dans les pruneaux, à la place du noyau, et enrober d'une lanière de lard, en maintenant à l'aide d'une pique à cocktail.

2 Pour les bouchées des anges, couper les tranches de lard en deux dans la longueur, étirer à l'aide d'un couteau et enrober les huîtres frites, en maintenant à l'aide d'une pique à cocktail.

3 Disposer les bouchées sur une plaque de four et cuire au four préchauffé, 10 à 15 minutes, jusqu'à ce que le tout soit croustillant et chaud.

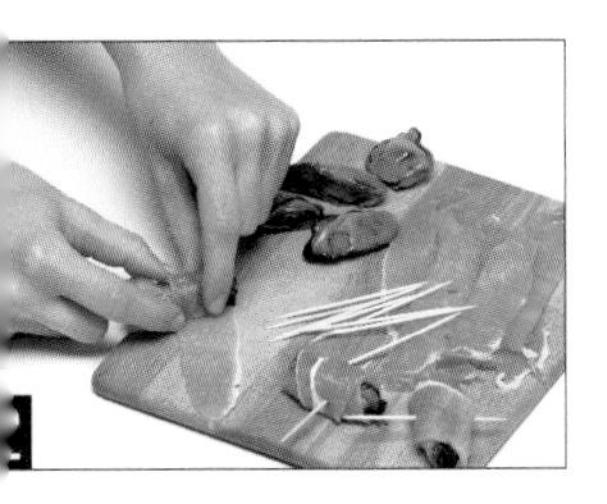

brochettes de fruits de mer épicées

8 personnes

2 cuil. à café de gingembre frais haché
2 gousses d'ail, finement hachées
2 piments verts, épépinés et finement hachés
2 cuil. à soupe d'huile de maïs ou d'arachide
1,5 kg de filet de lotte de mer, coupé en 24 morceaux
8 gambas crues, décortiquées en laissant la queue
sel et poivre
SALSA ÉPICÉE
2 tomates
4 piments scotch bonnet frais
4 piments verts jalapeño, épépinés et finement hachés
2 cuil. à soupe de coriandre hachée
2 cuil. à soupe d'huile d'olive
1 cuil. à soupe de vin rouge
sel

1 Dans une terrine non métallique, mélanger le gingembre, l'ail, les piments verts et l'huile, ajouter le poisson et les crevettes, et bien enrober. Couvrir de film alimentaire et mettre au réfrigérateur 1 heure.

2 Pour la salsa, pratiquer une incision en croix à la base de chaque tomate, mettre dans une terrine résistant à la chaleur et couvrir d'eau bouillante. Laisser reposer 30 secondes, égoutter et peler.

3 Disposer les piments scotch bonnet sur une plaque, passer au gril préchauffé en retournant fréquemment jusqu'à ce que la peau commence à noircir et transférer dans un sac en plastique.

4 Mettre les piments jalapeño dans une terrine. Épépiner les tomates, hacher finement la chair et ajouter dans la terrine. Retirer les piments scotch bonnet du sac, ôter la peau et couper en deux. Épépiner, hacher finement la chair et ajouter dans la terrine avec la coriandre. Battre l'huile d'olive et le vinaigre, saler selon son goût et verser sur la salsa. Couvrir de film alimentaire et réserver au réfrigérateur.

5 Piquer le poisson et les crevettes sur 8 brochettes, passer au gril préchauffé 6 à 8 minutes en retournant fréquemment, jusqu'à ce que les brochettes soient tendres. Transférer dans un plat de service, saler et poivrer selon son goût et servir accompagné de salsa.

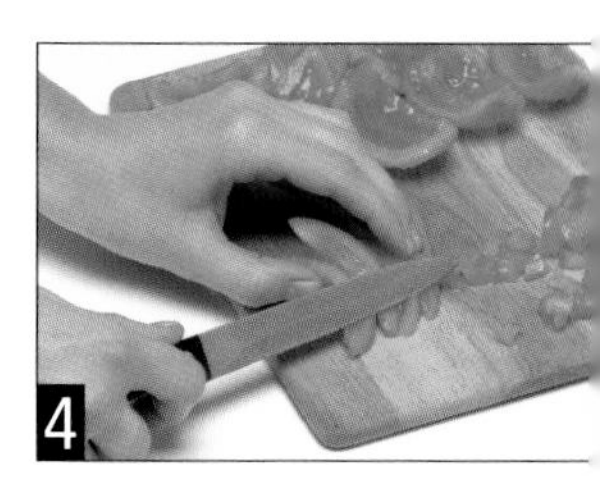

Légumes

Les légumes sont une source intarissable de créativité culinaire, surtout lorsqu'il s'agit de prêter attention à la présentation – les barquettes d'endives et de céleri (page 176) en sont un exemple tout trouvé, de même que les magnifiques poivrons farcis (page 186) ou les champignons farcis aux épinards (page 188). Toutefois, la combinaison gagnante de pâte et de légumes est incontournable : essayez les beignets de légumes sauce aigre-douce (page 194), le tempura de tofu (page 202) et les bouchées de champignon à l'aïoli (page 190). Certaines des recettes proposées ici sont assez consistantes pour être servies en plat principal, tandis que d'autres se dégustent simplement comme des petites gourmandises, comme les allumettes de pommes de terre chinoises (page 207) ou les frites de maïs épicées (page 172) – à servir comme en-cas.

olives aromatisées

pour un bocal de 250 g

brins de fines herbes, en garniture

OLIVES À LA PROVENÇALE

3 piments rouges séchés

1 cuil. à café de grains de poivre noir

175 g d'olives noires en saumure

2 rondelles de citron

1 cuil. à café de graines de moutarde noire

1 cuil. à soupe d'huile d'olive à l'ail

huile d'olive vierge extra fruitée

OLIVES À LA CATALANE

½ poivron rouge ou orange, grillé

100 g d'olives noires en saumure

100 g d'olives farcies au piment en saumure

1 cuil. à soupe de câpres en saumure, rincées et égouttées

1 pincée de flocons de poivron rouge

4 cuil. à soupe de coriandre fraîche hachée

1 feuille de laurier

1 échalote, finement hachée

1 cuil. à soupe de graines de fenouil, légèrement écrasées

1 cuil. à café d'aneth séchée

huile d'olive vierge extra fruitée

pour un bocal de 250 g

OLIVES À LA GRECQUE

½ gros citron, coupé en rondelles

175 g d'olives kalamata en saumure, rincées et égouttées

4 brins de thym frais

huile d'olive vierge extra fruitée

1 Pour les olives à la provençale, mettre les piments et les grains de poivre dans un mortier et piler légèrement. Rincer les olives, égoutter et sécher sur du papier absorbant. Mettre les ingrédients dans un bocal d'une contenance de 250 g et remplir d'huile d'olive.

2 Fermer le bocal et laisser macérer 10 jours en secouant le bocal tous les jours.

3 Pour les olives à la catalane, hacher finement le poivron. Rincer les olives, égoutter et sécher sur du papier absorbant. Mettre les ingrédients dans un bocal d'une contenance de 250 g et remplir d'huile d'olive. Laisser macérer de même que pour les olives à la provençale.

4 Pour les olives à la grecque, coupe les rondelles de citron en quartiers fendre un côté de chaque olive dans la longueur jusqu'au noyau et mettre les ingrédients dans un bocal d'une contenance de 250 g. Remplir d'huile d'olive et laisser macérer de même que pour les olives à la provençale.

5 Transférer les olives dans un plat de service et garnir de fines herbes

légumes marinés à la marocaine

12 personnes

225 g de petits radis

225 g de jeunes carottes

8 branches de céleri

1 concombre

sel et poivre

100 g de sucre en poudre

120 ml de jus de citron

2 cuil. à soupe de baies de poivre roses

1 botte de coriandre fraîche, finement hachée

1 Dans une terrine non métallique, mettre les radis et les carottes, couper le céleri en bâtonnets de 5 cm de longueur et ajouter dans la terrine. Couper le concombre en deux dans la longueur, retirer les graines à l'aide d'une cuillère et couper en tranches épaisses. Ajouter dans la terrine, saler généreusement et couvrir de film alimentaire. Réserver 3 à 4 heures.

2 Transférer les légumes dans une passoire, rincer à l'eau courante et retirer le sel. Égoutter, sécher sur du papier absorbant et transférer dans une terrine non métallique.

3 Dans une autre terrine non métallique, mélanger le sucre, le jus de citron et les grains de poivre, remuer jusqu'à ce que le sucre soit dissous et poivrer selon son goût.

4 Verser la sauce sur les légumes, remuer de façon à bien enrober et couvrir de film alimentaire. Mettre au réfrigérateur 8 heures ou toute une nuit.

5 Incorporer la coriandre hachée, transférer dans un plat de service et servir frais garni de piques à cocktail.

3

5

Falafel

4 personnes

250 g de pois-chiches secs
1 gros oignon, finement haché
1 gousse d'ail, hachée
2 cuil. à soupe de persil frais haché
2 cuil. à café de cumin en poudre
2 cuil. à café de coriandre en poudre
poivre de Cayenne
sel
½ cuil. à café de levure chimique
huile, pour la friture

ACCOMPAGNEMENT
houmous (page 12)
sauce à l'aubergine et au sésame (page 29)
quartiers de tomates
pain pita

1 Mettre les pois-chiches dans une terrine, couvrir d'eau et laisser tremper toute une nuit. Égoutter, transférer dans une casserole et couvrir d'eau froide. Porter à ébullition, réduire le feu et laisser mijoter 1 heure, jusqu'à ce qu'ils soient tendres. Égoutter.

2 Mettre les pois-chiches dans un robot de cuisine, réduire en purée épaisse et ajouter l'oignon, l'ail, le persil, le cumin, la coriandre et le poivre de Cayenne. Saler selon son goût, ajouter la levure et mixer de nouveau.

3 Couvrir, laisser reposer 30 minutes et façonner 8 boulettes. Laisser reposer encore 30 minutes et chauffer l'huile dans un wok à 180-190 °C, un dé de pain doit dorer en 30 secondes. Mettre les boulettes dans l'huile, cuire jusqu'à ce qu'elles soient dorées et retirer de l'huile. Égoutter et disposer sur du papier absorbant.

4 Servir chaud ou à température ambiante, accompagné d'une sauce, de quartiers de tomates et de pain pita.

nems végétariens

4 personnes

25 g de vermicelle transparent
2 cuil. à soupe d'huile d'arachide, un peu plus pour la friture
2 gousses d'ail, hachées
½ cuil. à café de gingembre frais haché
55 g de pleurotes, finement hachées
2 oignons verts, finement hachés
30 g de pousses de soja
1 petite carotte, finement émincée
½ cuil. à café d'huile de sésame
1 cuil. à soupe de sauce de soja
1 cuil. à soupe d'alcool de riz
¼ cuil. à café de poivre
1 cuil. à soupe de coriandre fraîche hachée
1 cuil. à soupe de menthe fraîche hachée, un peu plus en garniture
24 galettes de riz
½ cuil. à café de maïzena, délayée dans 1 cuil. à soupe d'eau
sauce au piment douce (page 138), en accompagnement

1 Dans une terrine résistant à la chaleur, mettre le vermicelle, couvrir d'eau bouillante et laisser reposer 4 minutes. Égoutter, rincer à l'eau courante et égoutter de nouveau. Couper en morceaux de 5 cm de long.

2 Dans un wok préchauffé, chauffer l'huile d'arachide à feu fort, ajouter l'ail, le gingembre, les champignons, les oignons verts, les pousses de soja et la carotte, et faire revenir 1 minute, jusqu'à ce que le tout soit juste tendre.

3 Incorporer l'huile de sésame, la sauce de soja, l'alcool de riz, le poivre, la coriandre et la menthe, retirer le wok du feu et incorporer les nouilles.

4 Étaler une galette de riz, un coin face à soi, enduire les bords de maïzena délayée et déposer 1 cuillerée de garniture sur le coin, face à soi.

5 Rouler le coin sur la garniture, replier les côtés vers le centre et rouler complètement en enduisant le coin opposé de maïzena délayée de façon à obtenir un rouleau. Répéte l'opération avec les feuilles de riz et la garniture restante.

6 Dans un wok préchauffé, chauffe l'huile de friture à 180-190 °C, u dé de pain doit y dorer en 30 secondes. Faire frire les nems en plusieurs fois 2 à 3 minutes, jusqu'à ce qu'ils soient dorés et croustillants, égoutter sur du papier absorbant et transférer dans un plat de service. Garnir de menthe et servir accompagné de sauce au piment.

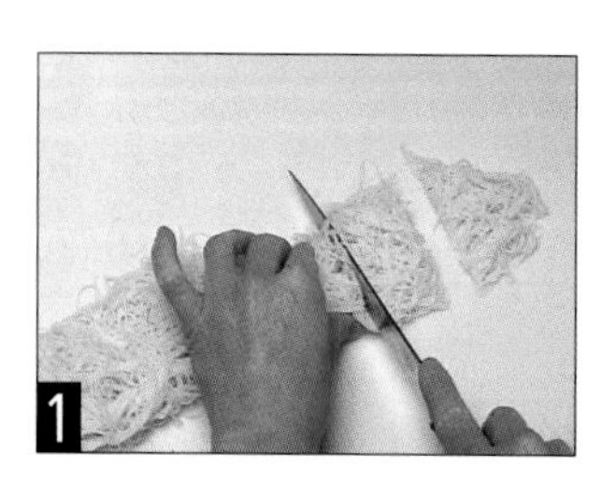
1

4

5

satays d'aubergine

4 personnes

2 aubergines, coupées en cubes de 2,5 cm

175 g petits champignons crémini

MARINADE

1 cuil. à café de graines de cumin

1 cuil. à café de graines de coriandre

1 morceau de gingembre de 2,5 cm, râpé

2 gousses d'ail, légèrement hachées

½ tige de lemon-grass, concassée

4 cuil. à soupe de sauce de soja claire

8 cuil. à soupe de d'huile de maïs

2 cuil. à soupe de jus de citron

SAUCE À LA CACAHUÈTE

½ cuil. à café de graines de cumin

½ cuil. à café de graines de coriandre

3 gousses d'ail

1 petit oignon, réduit en purée dans un robot de cuisine ou finement haché

1 cuil. à soupe de jus de citron

1 cuil. à café de sel

½ piment rouge frais, épépiné et finement émincé

120 ml de lait de coco

250 g de beurre de cacahuète avec des éclats

250 ml d'eau

1 Piquer les aubergines et les champignons sur des brochettes en métal ou en bambou trempées.

2 Pour la marinade, piler les graines de cumin et de coriandre, l'ail, le gingembre et le lemon-grass dans un mortier, transférer dans une casserole et chauffer jusqu'à ce que les arômes s'exhalent. Retirer du feu, ajouter les ingrédients restants de la marinade et transférer dans une terrine non métallique. Incorporer les brochettes de sorte qu'elles soient bien enduites de marinade et couvrir. Mettre au réfrigérateur 2 à 8 heures.

3 Pour la sauce, piler les graines de cumin et de coriandre dans un mortier avec l'ail, ajouter les ingrédients restants, l'eau exceptée, et transférer dans une casserole. Incorporer l'eau, porter à ébullition et laisser mijoter jusqu'à ce que la sauce ait épaissi.

4 Passer les brochettes au gril préchauffé 15 à 20 minutes, en enduisant de marinade et retournant une fois, et servir immédiatement accompagné de sauce.

dim sum de légumes

4 personnes

2 oignons verts, hachés
25 g de haricots verts, hachés
½ petite carotte, finement hachée
1 piment rouge frais, haché
2 cuil. à soupe de germes de soja, hachés
25 g de champignons blancs, hachés
2 cuil. de noix cajou non salées, hachées
1 petit œuf, battu
2 cuil. à soupe de maïzena
1 cuil. à café de sauce de soja claire
1 cuil. à café de sauce hoisin
1 cuil. à café d'huile de sésame
32 feuilles de wonton
huile, pour la friture
1 cuil. à soupe de graines de sésame

CONSEIL

Pour une cuisson plus saine et diététique, disposez les dim sum dans un panier à étuver et cuire à la vapeur 5 à 7 minutes.

1 Dans une terrine, mélanger les légumes, ajouter les noix de cajou, l'œuf, la maïzena, la sauce de soja, la sauce hoisin et l'huile de sésame, et bien remuer.

1

2

2

2 Étaler une feuille de pâte à wonton, déposer une quantité de farce au centre et replier la feuille autour de la farce en laissant le paquet obtenu ouvert.

3 Dans un wok préchauffé, chauffer l'huile pour la friture à 180-190 °C, un dé de pain doit y dorer en 30 secondes.

4 Faire frire les wontons en plusieurs fois 1 à 2 minutes, jusqu'à ce qu'ils soient dorés, égoutter sur du papier absorbant et réserver au chaud.

5 Parsemer de graines de séasame et servir immédiatement.

quesadillas aux haricots

4 à 6 personnes

8 tortillas
huile, pour graisser
400 g de haricots pinto à la mexicaine, réchauffés dans un peu d'eau
200 g de cheddar, râpé
1 oignon, haché
½ botte de feuilles de coriandre, hachée, un peu plus en garniture
salsa épicée (page 156)

1 Huiler légèrement une poêle antiadhésive, ajouter les tortillas et chauffer légèrement de façon à les assouplir.

2 Retire les tortillas de la poêle, garnir de haricots pinto et parsemer de fromage râpé, d'oignon, de coriandre et de salsa épicée. Rouler fermement.

3 Chauffer une poêle antiadhésive à feu modéré, parsemer d'une ou deux gouttes d'eau et ajouter les rouleaux de tortillas. Couvrir, chauffer jusqu'à ce que le fromage soit fondu et laisser dorer légèrement.

4 Retirer de la poêle, couper chaque rouleau en 4 losanges et servir immédiatement.

CONSEIL

Les tortillas peuvent être réchauffées au four à micro-ondes mais prenez garde de ne pas les faire cuire trop longtemps car elles deviendraient molles.

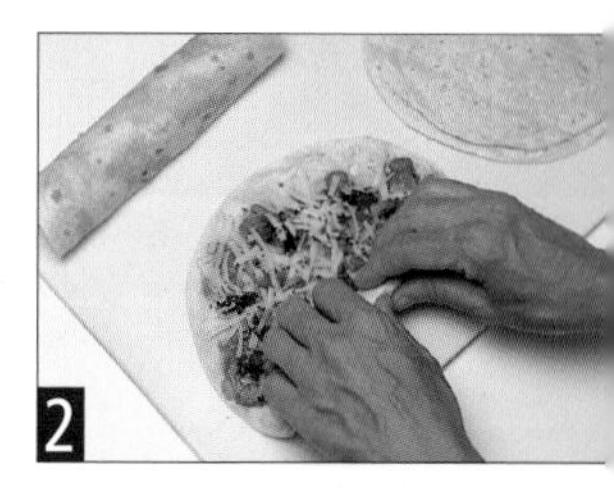

VARIANTE

Garnir chaque tortilla de brocoli blanchi à l'eau bouillante ou de champignons sauvages à la place des haricots, pour une garniture plus légère. Vous pouvez également utiliser des haricots noirs rincés et égouttés avec de la salsa au chipotle (page 33) pour remplacer la salsa épicée de façon subtile et épicée.

galettes de maïs

6 personnes

325 g de maïs en boîte, égoutté
1 oignon, finement haché
1 cuil. à café de poudre de curry
1 gousse d'ail, hachée
1 cuil. à café de coriandre
en poudre
2 oignons verts, hachés
3 cuil. à soupe de farine
½ cuil. à café de levure chimique
1 gros œuf
sel
4 cuil. à soupe d'huile de maïs
1 oignon vert émincé, en garniture

VARIANTE

Utilisez du garam masala à la place du curry, ou également du cumin en poudre. Pour plus de goût, ajoutez un peu de gingembre frais haché.

1 Dans une terrine, écraser le maïs, ajouter l'oignon, la poudre de curry, l'ail, la coriandre, les oignons verts, la farine, la levure et l'œuf, et saler selon son goût.

1

2 Dans une poêle, chauffer l'huile, verser des cuillerées de la préparation obtenue en les espaçant de sorte que les beignets puissent s'étendre à la cuisson.

2

3 Cuire 4 à 5 minutes en retournant une fois, jusqu'à ce qu'ils soient dorés et fermes au toucher, en veillant à ne pas les retourner trop tôt de façon à éviter qu'ils se cassent dans la poêle.

3

4 Retirer de la poêle à l'aide d'une écumoire, égoutter sur du papier absorbant et servir immédiatement, garni d'oignon vert.

frites de maïs épicées

4 personnes

350 g de polenta instantanée
2 cuil. à soupe de poudre de piment
1 cuil. à soupe d'huile ou de beurre fondu
sel et poivre
SAUCE
160 ml de crème aigre
1 cuil. à soupe de persil frais haché

CONSEIL

La polenta instantanée se trouve en supermarché et permet de gagner beaucoup de temps. Elle se garde 1 semaine au réfrigérateur. La polenta peut aussi être cuite au four préchauffé, à 200 °C (th. 6-7), 20 minutes.

1 Dans une casserole, mettre 1,5 l d'eau, porter à ébullition et ajouter 2 cuillerées à café de sel. Ajouter la polenta progressivement sans cesser de remuer.

2 Réduire le feu et cuire encore 5 minutes sans cesser de remuer de façon à éviter que la polenta brûle ou attache à la casserole, jusqu'à obtention d'une consistance très épaisse. Une cuillère en bois doit y tenir à la verticale.

3 Ajouter la poudre de piment, bien mélanger et saler et poivrer selon son goût.

4 Répartir la polenta sur une plaque de four de sorte qu'elle ait 4 cm d'épaisseur et laisser prendre.

5 Couper la préparation en larges frites épaisses.

6 Dans une poêle, chauffer l'huile, ajouter les frites de polenta et cuire 3 à 4 minutes de chaque côté, jusqu'à ce qu'elles soient croustillantes et dorées, ou enduire de beurre et passer au gril préchauffé 6 à 7 minutes. Égoutter sur du papier absorbant.

7 Dans une terrine, mélanger la crème aigre et le persil.

8 Servir les frites de polenta accompagné de crème aigre.

1

2

4

pop-corn et noix épicés

4 personnes

2 cuil. à soupe d'huile
55 g de maïs pour pop-corn
55 g de beurre
1 gousse d'ail, hachée
75 g d'amandes non blanchies
75 g de noix de cajou non salées
75 g de cacahuètes non salées
1 cuil. à café de sauce worcester
1 cuil. à café de pâte
 ou de poudre de curry
¼ de cuil. à café de poudre
 de piment
50 g de raisins secs
sel

VARIANTE

Utilisez un mélange de noix non salées de votre choix, noix de pécan, noisettes, noix du Brésil, pignons, noix de macadamia, etc. Pour une saveur moins épicée, omettez la poudre de curry et de piment, et ajoutez 1 cuillerée à café de graines de cumin, de coriandre en poudre et de paprika.

1 Dans une poêle, chauffer l'huile, ajouter le maïs et mélanger. Couvrir et cuire 3 à 5 minutes à feu doux en tenant fermement le couvercle et en secouant régulièrement la poêle, jusqu'à ce que les grains aient éclaté.

1

2 Transférer le pop-corn dans un plat et retirer les grains de maïs restants si nécessaire.

2

3 Dans une poêle, faire fondre le beurre, ajouter l'ail et les noix, et incorporer la sauce worcester, la poudre de curry et de piment. Cuire 2 à 3 minutes à feu modéré en remuant fréquemment, jusqu'à ce que les noix soient légèrement grillées.

4 Retirer la poêle du feu, ajouter le pop-corn et les raisins secs, et saler selon son goût. Transférer dans un plat de service et servir chaud ou froid.

4

barquettes d'endives et de céleri

pour 30 barquettes

450 g de fromage frais
4 oignons verts, finement hachés
4 cuil. à soupe de tomates séchées au soleil hachées
3 cuil. à soupe de persil frais haché
1 cuil. à soupe de ciboulette fraîche hachée
100 g d'olives farcies au piment, hachées
1 cuil. à soupe de Tabasco
2 endives, feuilles parées
12 branches de céleri
lanières de poivron rouge, en garniture

1 Dans une terrine, battre le fromage frais à l'aide d'une cuillère en bois.

2 Incorporer les oignons verts, les tomates séchées au soleil, le persil, la ciboulette, les olives et le Tabasco.

2

3 Transférer la préparation dans les feuilles d'endives et les branches de céleri, disposer sur des assiettes et garnir de lanières de poivron rouge.

2

beignets de maïs au fromage

4 personnes

55 g de beurre
160 ml d'eau
50 g de farine, salée et poivrée
1 œuf, battu
1 pincée de poivre de Cayenne ou de poudre de piment (facultatif)
25 g de fromage, emmental, gruyère ou cheddar, râpé
1 cuil. à soupe de maïs en boîte, d'oignons frits, de champignons cuits, ou de jambon coupé en dés
huile, pour la friture

1 Pour la pâte à beignets, mettre le beurre et l'eau dans une casserole, porter à ébullition et ajouter la farine assaisonnée en une seule fois. Battre jusqu'à ce que la préparation adhère aux parois et ajouter l'œuf progressivement, de façon à bien l'incorporer.

2 Ajouter la poudre de piment ou le poivre de Cayenne, et incorporer le fromage et le maïs, les oignons frits, les champignons ou le jambon.

3 Dans un wok préchauffé, chauffer l'huile, ajouter délicatement des cuillerées de pâte et cuire jusqu'à ce que les beignets aient gonflé et soient dorés. Retirer de l'huile délicatement, égoutter sur du papier absorbant et servir immédiatement.

1

2

3

assortiment de bouchées au fromage

4 personnes

BOULETTES AU BLEU

115 g de bleu, émietté
120 ml de crème aigre
2 cuil. à soupe d'oignons verts ou de ciboule fraîche hachés
1 cuil. à soupe de céleri finement haché

BOULETTES AU FROMAGE FRAIS

115 g de cheddar, rapé
225 g de fromage frais
3 cuil. à soupe de martini
1 trait de sauce worcester
2 cuil. à soupe d'oignons verts ou de ciboule fraîche hachés
1 cuil. à soupe de céleri finement haché

BOULETTE À LA FÉTA

115 g de féta, émiettée
115 g de beurre, en pommade
½ cuil. à café de paprika
2 cuil. à soupe de fines herbes fraîchement hachées

ACCOMPAGNEMENT

noix hachées, jambon coupé en dés, poivron émincé, céleri haché ou fines herbes

1 Pour les boulettes au bleu, écraser le fromage dans une terrine, ajouter la crème aigre, les oignons verts et le céleri, et mélanger. Les mains mouillées, prélever des cuillerées de préparation, façonner des boulettes et disposer dans un plat. Couvrir de film alimentaire et mettre au réfrigérateur.

1

2 Pour les boulettes au fromage frais, écraser le cheddar et le fromage frais dans une terrine, ajouter le martini, la sauce worcester, les oignons verts et le céleri, et mélanger. Façonner des boulettes de même qu'à l'étape 1.

2

3 Pour les boulettes à la féta, écraser le fromage et le beurre dans une terrine, ajouter le paprika et les fines herbes. Façonner des boulettes de même qu'à l'étape 1.

3

4 Rouler les boulettes dans les noix le jambon, le poivron et le céleri hachés et les fines herbes, ou utiliser d'autres enrobages.

bouchées au fromage grillées

4 personnes

100 g de ricotta
115 g de cheddar, finement râpé
2 cuil. à café de persil frais haché
poivre
60 g de mélange de noix hachées
3 cuil. à soupe de fines herbes fraîches mixées, persil, ciboulette et marjolaine, par exemple
2 cuil. à soupe de paprika doux
brins de fines herbes fraîches, en garniture

1 Mélanger la ricotta et le fromage, ajouter le persil et poivrer selon son goût. Mélanger à l'aide d'une cuillère en bois jusqu'à obtention d'une consistance homogène.

2 Façonner des boulettes avec la préparation obtenue, couvrir et mettre au réfrigérateur 20 minutes, jusqu'à ce qu'elles soient fermes.

3 Répartir le mélange de noix sur une plaque de four, passer au gri préchauffé jusqu'à ce qu'elles soient légèrement dorées sans laisser brûler et retirer du gril. Laisser refroidir et réserver.

4 Transférer les noix, les fines herbes et le paprika dans des terrines, sortir les boulettes du réfrigérateur et rouler un tiers dans la terrine contenant les noix, de façon à bien enrober. Répéter l'opération avec les boulettes restantes les fines herbes et le paprika.

5 Disposer les boulettes sur un plat de service, couvrir et réserver au réfrigérateur. Garnir de fines herbes et servir à température ambiante.

bouchées aux abricots et au fromage

pour 20 bouchées

225 g de fromage frais
6 cuil. à soupe de lait
115 g de cheddar, finement râpé
sel et poivre
800 g d'oreillons d'abricots en boîte, égouttés

GARNITURE
20 cerneaux de noix
paprika

1 Dans une jatte, battre le fromage frais à l'aide d'une cuillère en bois, incorporer progressivement le lait et le cheddar, et saler et poivrer selon son goût.

2 Transférer la préparation obtenue dans une poche à douille munie d'un embout de 1 cm en forme d'étoile et garnir les oreillons d'abricots d'une spirale de crème.

3 Disposer les abricots sur un plat de service, garnir chaque spirale de crème d'un cerneau de noix et saupoudrer légèrement de paprika.

feuilles de vigne farcies

pour 12 feuilles de vigne

400 g de riz long grain
450 g de feuilles de vigne, rincées si elles sont en saumure
2 oignons, finement hachés
1 botte d'oignons verts, finement hachés
1 botte de persil frais, finement haché
2 cuil. à soupe de menthe fraîche finement hachée
1 cuil. à soupe de graines de fenouil
1 cuil. à café de piments séchés hachés
zeste finement râpé de 2 citrons
240 ml d'huile d'olive
sel
600 ml d'eau, bouillante
quartiers de citron, en garniture
tzatziki (page 15), en accompagnement

1 Porter à ébullition une casserole d'eau salée, ajouter le riz et porter de nouveau à ébullition. Réduire le feu et laisser mijoter 15 minutes, jusqu'à ce qu'il soit tendre.

2 En cas d'utilisation de feuilles de vigne en saumure, mettre dans une terrine résistant à la chaleur, couvrir d'eau bouillante et laisser reposer 10 minutes. En cas d'utilisation de feuilles de vigne fraîches, porter à ébullition une casserole d'eau, ajouter les feuilles et laisser mijoter 10 minutes.

3 Égoutter le riz chaud, mélanger immédiatement avec les oignons, les oignons verts, le persil, le menthe, les graines de fenouil, le piment, le zeste de citron et 3 cuillerées à soupe d'huile, et saler selon son goût.

4 Égoutter les feuilles de vigne, étaler une feuille, côté lisse vers le bas, et déposer une cuillerée de préparation à base de riz près de la tige. Rouler la tige sur la garniture, replier les côtés vers le centre et rouler de nouveau de façon à obtenir un rouleau. Répéter l'opération avec la farce restante et réserver les feuilles restantes pour la décoration.

5 Disposer les rouleaux en une seule couche dans une casserole, ajouter l'huile restante et l'eau bouillante, et couvrir à l'aide d'une terrine résistant à la chaleur de façon à maintenir les rouleaux sous le niveau de l'eau. Couvrir et laisser mijoter 1 heure.

6 Laisser refroidir dans la casserole à température ambiante, transférer dans un plat de service à l'aide d'une écumoire et garnir de quartiers de citron. Servir accompagné de tzatziki.

3

4

champignons farcis

4 personnes

- 450 g de champignons blancs
- 3 gousses d'ail
- 2 cuil. à soupe d'oignon émincé
- 175 g de beurre
- 50 g de chapelure blanche
- 1 cuil. à café de persil frais haché, un peu plus en garniture
- 1 cuil. à soupe de parmesan râpé

1 Préchauffer le four à 180 °C (th. 6).

2 Retirer les tiges des champignons, les hacher avec 2 gousses d'ail et ajouter l'oignon émincé.

3 Dans une poêle, faire fondre la moitié du beurre à feu modéré, ajouter les tiges de champignons, l'ail et l'oignon, et cuire 3 minutes, jusqu'à ce qu'ils soient tendres. Mélanger la chapelure, le persil et le fromage, incorporer à la préparation précédente et garnir les champignons d'une cuillerée du mélange obtenu.

4 Dans une casserole, faire fondre le beurre restant, hacher l'ail restant et ajouter au beurre. Faire revenir 2 minutes et répartir la moitié du mélange dans un plat allant au four.

5 Disposer les champignons dans le plat, napper du beurre restant et cuire au four préchauffé, 20 minutes. Servir immédiatement, garni de persil frais haché.

2

3

5

tomates farcies

4 personnes

2 cuil. à soupe de beurre, fondu
2 cuil. à soupe de pignons
8 châtaignes d'eau, émincées
100 g de riz long grain
250 ml de bouillon
4 moyennes ou 8 petites tomates
brins de ciboulette, en garniture

1 Dans une casserole, faire fondre le beurre à feu modéré, ajouter les pignons, les châtaignes et le riz, et mélanger de façon à bien enrober le tout.

2 Mouiller avec le bouillon, couvrir et cuire 20 minutes à feu doux, jusqu'à ce que le liquide soit absorbé et que le riz soit tendre.

3 Couper le sommet des tomates, retirer les pépins et garnir de préparation à base de riz. Servir à température ambiante, garni de brins de ciboulette.

1

2

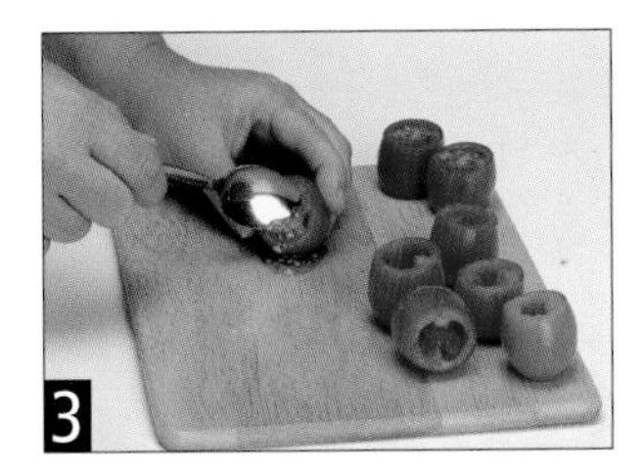

3

poivrons farcis

4 personnes

4 poivrons rouges, jaunes ou verts
100 g de fromage frais
½ cuil. à soupe de jus de citron
55 g de saumon fumé, coupé en dés ou émincé
sel et poivre

VARIANTE

Ajoutez de l'aneth fraîche hachée ou de la ciboulette à la préparation à base de fromage frais et garnir de brins d'aneth. Remplacez le saumon par de la truite fumée ou du jambon.

1 Couper une tranche épaisse au sommet des poivrons et épépiner délicatement.

2 Dans une jatte, battre le fromage frais avec le jus de citron à l'aide d'une cuillère en bois, ajouter le saumon fumé et mélanger. Saler et poivrer selon son goût.

3 Garnir délicatement les poivrons de la préparation obtenue, couvrir de film alimentaire et mettre au réfrigérateur 3 à 4 heures.

4 Couper les poivrons en tranches épaisses, disposer les tranches sur un plat de service en les faisant chevaucher et servir immédiatement.

champignons farcis aux épinards

4 personnes

55 g de féta
12 gros champignons
3 cuil. à soupe de vin blanc
3 cuil. à soupe d'eau
1 échalote, hachée
1 brin de thym frais, finement haché
2 cuil. à café de jus de citron
1 cuil. à soupe de beurre
sel et poivre
2 cuil. à café d'huile d'olive
1 gousse d'ail, finement hachée
250 g d'épinards frais, tiges retirées et feuilles hachées

CONSEIL

Il n'y a pas besoin de peler les champignons à moins que leur peau soit décolorée. Contentez-vous d'essuyer la terre à l'aide d'un torchon.

1 Préchauffer le four à 180 °C (th. 6). Émietter la féta et réserver. Retirer les tiges des champignons et les hacher finement.

2 Dans une casserole, verser le vin et l'eau, ajouter la moitié de l'échalote et le thym, et porter à ébullition. Réduire le feu, laisser mijoter 2 minutes et ajouter les champignons, côté lisse vers le bas. Arroser de jus de citron, couvrir et laisser mijoter 6 minutes. Retirer les champignons de la casserole, porter de nouveau à ébullition et incorporer les tiges de champignons hachées avec le beurre. Saler et poivrer selon son goût, cuire 6 minutes, jusqu'à ce que le liquide soit absorbé, et transférer dans une terrine.

1

1

2

3 Dans une autre casserole, chauffer l'huile, ajouter l'échalote restante, l'ail et les épinards, et saler légèrement. Cuire 3 minutes à feu modéré sans cesser de remuer, jusqu'à ce que le liquide soit évaporé, incorporer à la préparation à base de champignons et saler et poivrer selon son goût. Incorporer délicatement la féta.

4 Disposer les champignons en une seule couche dans un plat allant au four, répartir la préparation précédente dans les champignons et cuire au four préchauffé, 15 à 20 minutes, jusqu'à ce que les champignons soient dorés. Servir chaud.

bouchées de champignons à l'aïoli

4 personnes

115 g de pain blanc frais
2 cuil. à soupe de parmesan râpé
1 cuil. à café de paprika
2 blancs d'œufs
225 g de champignons blancs
AÏOLI
4 gousses d'ail, hachées
2 jaunes d'œufs
250 ml d'huile d'olive vierge extra
sel et poivre

1 Préchauffer le four à 190 °C (th. 6-7). Pour l'aïoli, mettre l'ail dans une terrine, ajouter 1 pincée de sel et écraser à l'aide d'une fourchette. Ajouter les jaunes d'œufs et battre 30 secondes à l'aide d'un batteur électrique, jusqu'à ce que le mélange soit crémeux. Ajouter quelques gouttes d'huile, battre jusqu'à ce que la préparation épaississe et verser l'huile en filet sans cesser de mixer. Saler et poivrer selon son goût, couvrir de film alimentaire et réserver au réfrigérateur.

2 Chemiser une plaque de four de papier sulfurisé. Émietter le pain dans une terrine, ajouter le parmesan et le paprika, et battre légèrement les blancs d'œufs dans une autre terrine. Tremper chaque champignon dans le blanc d'œuf, passer dans la chapelure et disposer sur la plaque de four.

3 Cuire au four préchauffé, 15 minutes, jusqu'à ce que l'enrobage soit croustillant et doré, et servir immédiatement avec l'aïoli.

VARIANTE

Pour une sauce crémeuse aux herbes, mélanger 4 cuillerées à soupe de fines herbes fraîches, 225 g de crème aigre, 1 gousse d'ail hachée, du jus de citron et du sel et du poivre.

2

2

2

bouchées de bhajis

4 personnes

2 cuil. à soupe de farine complète
½ cuil. à café de curcuma en poudre
½ cuil. à café de cumin en poudre
1 cuil. à café de garam masala
1 pincée de poivre de Cayenne
1 œuf
1 gros oignon, coupé en quartiers et émincé
sel
1 cuil. à soupe de coriandre fraîche hachée
3 cuil. à soupe de chapelure fraîche
huile, pour la friture
feuilles de coriandre fraîche, en garniture

SAUCE
1 cuil. à café de coriandre en poudre
1 cuil. à café de cumin en poudre
250 ml de yaourt
sel et poivre

CONSEIL

Assurez-vous que les ustensiles et la poêle que vous utilisez sont bien secs. Si de l'eau vient à rentrer en contact avec l'huile bouillante, vous pouvez craindre de dangereuses projections.

1 Dans une terrine, mettre la farine, ajouter le curcuma, le cumin, le garam masala et le poivre de Cayenne, et ménager un puits au centre. Ajouter l'œuf, mélanger de façon à obtenir une pâte collante et ajouter l'oignon. Saler selon son goût, ajouter la coriandre et incorporer la chapelure.

2 Dans une poêle à frire, chauffer l'huile à feu modéré jusqu'à ce qu'elle commence à fumer.

3 À l'aide de 2 cuillères, plonger de la pâte dans l'huile et cuire 8 à 10 minutes en les retournant fréquemment, jusqu'à ce qu'elles soient dorées. Égoutter sur du papier absorbant, réserver au chaud et répéter l'opération avec la pâte restante.

4 Pour la sauce, griller les épices à blanc, mélanger au yaourt et saler et poivrer selon son goût. Servir, garni de coriandre et accompagné de sauce.

1

4

3

céleri garni au fromage et aux olives

4 personnes

12 branches de céleri
225 g de fromage frais
30 g d'olives vertes ou noires, dénoyautées et hachées
55 g de piments en bocal, égouttés et finement hachés
2 oignons verts, finement hachés
1 cuil. à soupe de persil frais finement haché
2 cuil. à café de Tabasco ou de sauce au piment (facultatif)

1 Parer les branches de céleri, retirer les feuilles et les aspérités.

2 Dans une terrine, battre le fromage frais à l'aide d'une cuillère en bois, ajouter les ingrédients restants et mélanger.

3 Garnir les branches de céleri de la préparation obtenue à l'aide d'une petite cuillère, couper en tronçons de 5 cm de long et disposer sur un plat de service.

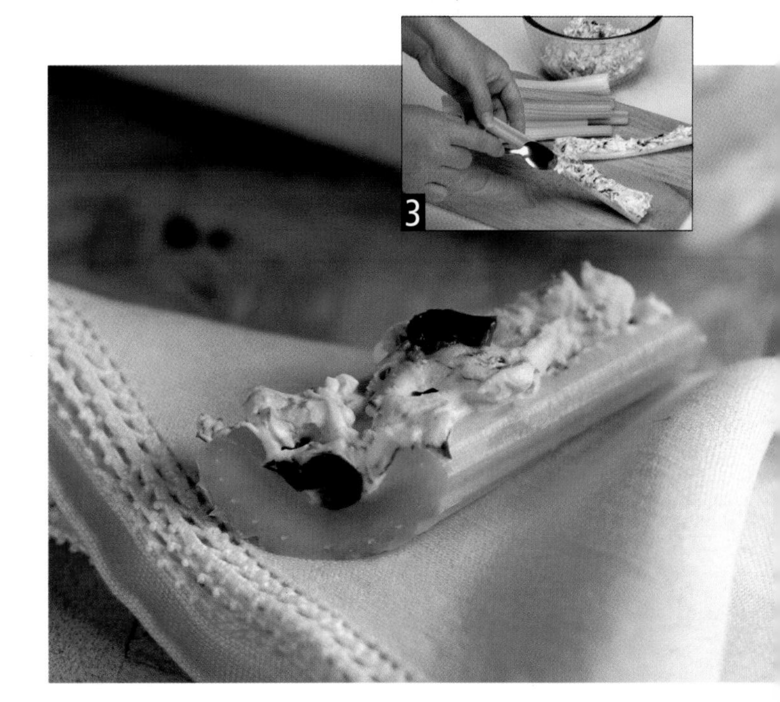

VARIANTE

Vous pouvez utiliser des olives farcies au piment au lieu d'employer ces ingrédients séparément. Essayez également des poivrons rôtis en bocal.

beignets de légumes sauce aigre-douce

4 personnes

75 g de farine complète
1 pincée de sel
1 pincée de poivre de Cayenne
4 cuil. à soupe d'huile d'olive
12 cuil. à soupe d'eau
100 g brocoli, en fleurettes
100 g de chou-fleur, en fleurettes
50 g de pois mangetout
1 grande carotte, coupée en julienne
1 poivron rouge, épépiné et émincé
2 blancs d'œufs
huile, pour la friture
SAUCE
160 ml de jus d'ananas
160 ml de bouillon
2 cuil. à soupe de vinaigre de vin
2 cuil. à soupe de sucre roux
2 cuil. à café de maïzena
2 oignons verts, hachés

1 Dans une terrine, tamiser la farine et le sel, ajouter le poivre et ménager un puits au centre. Incorporer progressivement l'huile et l'eau de façon à obtenir une pâte homogène.

1

2 Porter à ébullition une casserole d'eau salée, ajouter les légumes et cuire 5 minutes. Bien égoutter.

4

3 Battre les blancs d'œufs en neige ferme et incorporer à la pâte précédente.

4 Tremper les légumes dans la pâte de sorte qu'ils soient bien enrobés et égoutter l'excédent de pâte. Dans une poêle à frire, chauffer l'huile à 180-190 °C, un dé de pain doit y dorer en 30 secondes. Faire frire les légumes en plusieurs fois, 1 à 2 minutes, jusqu'à ce qu'ils soient dorés, retirer de l'huile à l'aide d'une écumoire et égoutter sur du papier absorbant.

4

5 Dans une casserole, mettre les ingrédients de la sauce, porter à ébullition et cuire jusqu'à obtention d'un mélange épais et clair. Servir avec les beignets de légumes.

beignets de légumes variés

4 personnes

100 g de farine
½ cuil. à café de levure chimique
1 pincée de sel
1 œuf
120 ml de lait
½ cuil. à café de Tabasco (facultatif)
1 gros oignon
1 grosse courgette
1 petite aubergine
1 petit chou fleur
115 g de champignons blancs
huile, pour la friture
quartiers de citron, en garniture
sauce tomate à l'ail,
en accompagnement

1 Pour la pâte, tamiser la farine, la levure et le sel dans une terrine, ajouter l'œuf et battre de façon à éliminer les grumeaux. Incorporer progressivement le lait sans cesser de remuer et ajouter le Tabasco.

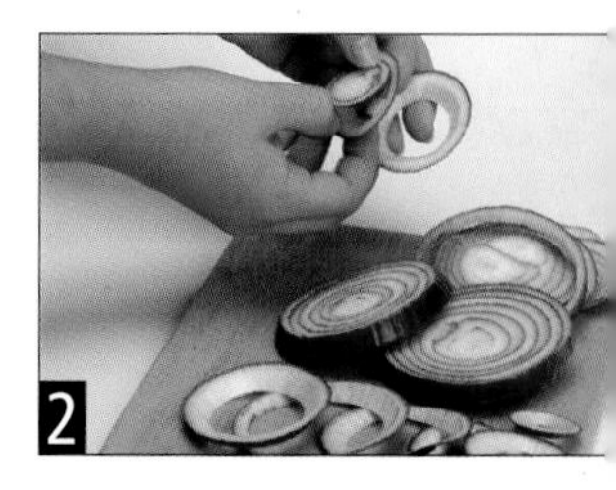
2

2 Parer l'oignon, couper en grosses rondelles et séparer en anneaux. Couper la courgette et l'aubergine en bâtonnets, couper le chou-fleur en fleurettes et retirer la tige des champignons.

2

3 Dans une poêle à frire, chauffer l'huile à 180-190 °C, un dé de pain doit y dorer en 30 secondes. Plonger les légumes dans la pâte, retirer en égouttant l'excédent de pâte et mettre dans l'huile. Cuire jusqu'à ce que les beignets soient dorés, retirer à l'aide d'une écumoire et égoutter sur du papier absorbant.

3

4 Servir chaud, garni de quartiers de citron et accompagné de sauce tomate à l'ail.

beignets de pommes de terre à l'ail

4 personnes

500 g de pommes de terre farineuses, coupées en dés
125 g de parmesan, râpé
huile, pour la friture
SAUCE
2 cuil. à soupe de beurre
1 oignon, coupé en deux et émincé
2 gousses d'ail, hachées
2 cuil. à soupe ½ de farine
300 ml de lait
1 cuil. à soupe de persil frais haché
PÂTE
5 cuil. à soupe de farine
1 petit œuf
160 ml de lait

1 Pour la sauce, faire fondre le beurre dans une casserole, ajouter l'oignon et l'ail, et cuire 2 à 3 minutes à feu doux en remuant fréquemment. Ajouter la farine et cuire 1 minute sans cesser de remuer.

2 Retirer du feu, incorporer le lait et le persil, et remettre sur le feu. Porter à ébullition et réserver au chaud.

3 Porter à ébullition une casserole d'eau, ajouter les pommes de terre et cuire 5 à 10 minutes, jusqu'à ce qu'elles soient juste tendres, sans trop cuire.

4 Égoutter les pommes de terre, ajouter le parmesan et remuer de façon à ce que le fromage colle bien aux pommes de terres encore humides.

4

5 Pour la pâte, mettre la farine dans une terrine, incorporer l'œuf et lait progressivement de façon à obtenir une consistance homogène et enrober les cubes de pommes de terre.

5

6 Dans une poêle à frire, chauffer l'huile à 180-190 °C, un dé de pain doit y dorer en 30 secondes. Ajouter les dés de pommes de terre et cuire 3 à 4 minutes en plusieurs fois, jusqu'à ce que les beignets soient dorés.

7 Retirer les beignets de l'huile à l'aide d'une écumoire, égoutter et transférer dans un plat de service chaud. Servir immédiatement avec la sauce à l'ail.

7

beignets de courgettes au thym

pour 16 à 30 beignets

65 g de farine levante
2 œufs, battus
60 ml de lait
300 g de courgettes
2 cuil. à soupe de thym frais haché
sel et poivre
1 cuil. à soupe d'huile

VARIANTE

Essayez d'ajouter ½ cuillerée à café de piments séchés hachés à la pâte à l'étape 4 pour obtenir un petit goût plus épicé.

1 Tamiser la farine dans une terrine, ménager un puits au centre et verser les œufs. Remuer à l'aide d'une cuillère en bois de façon à bien incorporer les œufs à la farine.

1

2 Incorporer progressivement le lait sans cesser de remuer jusqu'à obtention d'une pâte épaisse. Réserver.

3 Laver les courgettes et râper dans une terrine chemisée de papier absorbant de façon à bien égoutter le jus.

3

4 Ajouter les courgettes et le thym à la pâte, saler et poivrer selon son goût et bien mélanger.

4

5 Dans une poêle à fond épais, chauffer l'huile, prélever 1 cuillerée de pâte pour un beignet moyen ou ½ cuillerée pour un petit beignet, et verser dans l'huile chaude. Cuire les beignets en plusieurs fois 3 à 4 minutes de chaque côté.

6 Retirer de la poêle à l'aide d'une écumoire, égoutter sur du papier absorbant et réserver au chaud. Répéter l'opération avec la pâte restante, répartir dans des assiettes chaudes et servir chaud.

tempura de tofu et de légumes

4 personnes

125 g de petites courgettes
125 g de petites carottes
125 g de mini-épis de maïs
125 g de jeunes poireaux
2 petites aubergines
225 g de tofu ferme
huile, pour la friture
carottes en julienne, gingembre frais et poireaux, en garniture
nouilles, en accompagnement

PÂTE
2 jaunes d'œufs
300 ml d'eau
150 g de farine

SAUCE
5 cuil. à soupe de mirin ou de xérès sec
5 cuil. à soupe de sauce de soja japonaise
2 cuil. à café de miel
1 gousse d'ail, hachée
1 cuil. à café de gingembre frais râpé

1 Couper les courgettes et les carottes en deux dans la longueur, ébouter les mini-épis de maïs et les poireaux, et couper les aubergines en quatre dans la longueur. Couper le tofu en dés de 2,5 cm.

2 Pour la pâte, mélanger les jaunes d'œufs et l'eau dans une terrine, ajouter 100 g de farine et battre à l'aide d'un fouet jusqu'à obtention d'une pâte épaisse et grumeleuse. Dans une poêle à frire, chauffer l'huile à 180-190 °C, un dé de pain doit y dorer en 30 secondes.

3 Tamiser la farine restante dans une terrine et enrober les légumes et le tofu.

4 Plonger le tofu fariné dans la pâte, ajouter dans l'huile et faire frire 2 à 3 minutes, jusqu'à ce qu'il soit doré. Égoutter sur du papier absorbant et réserver.

5 Plonger les légumes farinés dans la pâte, ajouter dans l'huile et faire frire 3 à 4 minutes, jusqu'à ce qu'ils soient dorés. Égoutter et répartir dans des assiettes chaudes.

6 Pour la sauce, mélanger les ingrédients. Servir avec la sauce et accompagné de nouilles, et garni de julienne de carottes, de gingembre haché et de lanières de poireaux.

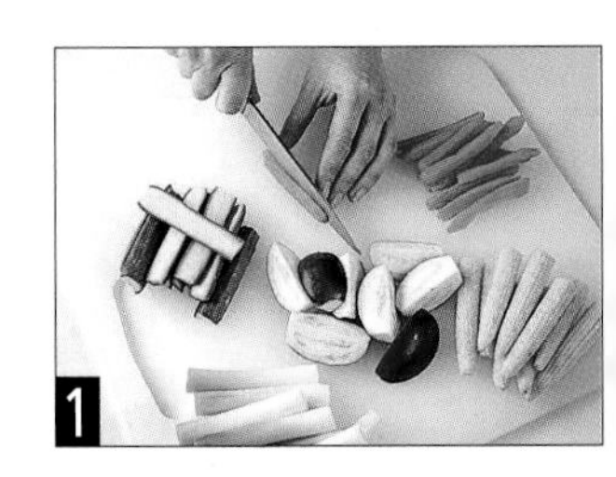
1

3

5

beignets indonésiens à la cacahuète

pour 20 beignets

50 g de farine de riz
½ cuil. à café de levure chimique
½ cuil. à café de curcuma en poudre
½ cuil. à café de coriandre en poudre
¼ cuil. à café de cumin en poudre
1 gousse d'ail, finement hachée
75 g de cacahuètes non salées, hachées
120 à 160 ml de lait de coco
sel
huile d'arachide, pour la friture

1 Dans une terrine, mélanger la farine, la levure, le curcuma, la coriandre, le cumin, l'ail et les cacahuètes, incorporer le lait de coco de façon à obtenir une pâte et saler selon son goût.

2 Dans une poêle, verser 1 cm d'huile, chauffer à feu fort jusqu'à ce qu'elle soit chaude et ajouter des cuillerées de pâte en les espaçant bien. Cuire jusqu'à ce que la base soit dorée et que la surface ait juste pris, retourner et cuire encore 1 minute, jusqu'à ce que l'autre face soit dorée. Retirer à l'aide d'une spatule, égoutter sur du papier absorbant et réserver au chaud. Répéter l'opération avec la pâte restante et servir immédiatement.

VARIANTE

Utilisez 1 cuillerée à café de mélange d'épices prêt à l'emploi et essayez de remplacer les cacahuètes par des noix de cajou.

3 Il est également possible de transférer les beignets sur une grille, de laisser refroidir et de conserver dans une récipient hermétique. Réchauffer au four préchauffé, à 180 °C (th. 6), 10 minutes.

nachos aux haricots noirs

4 personnes

260 g de haricots noirs secs, ou de haricots en boîte, égouttés
150 à 200 g de fromage râpé, cheddar, fontina ou romano, par exemple, ou un mélange
¼ de cuil. à café de graines de cumin ou de cumin en poudre
4 cuil. à soupe de crème aigre
piments jalapeño, finement hachés (facultatif)
1 cuil. à soupe de coriandre fraîche hachée
1 poignée de laitue fraîche hachée
chips de tortilla, en garniture

VARIANTE

Pour les amateurs de viande, ajoutez du chorizo haché et doré sur les haricots avant de parsemer de fromage et de cuire, ce mélange sera délicieux. Des restes de viande hachée feront également parfaitement l'affaire dans cette recette.

1 En cas d'utilisation de haricots secs, laisser tremper toute une nuit, égoutter et transférer dans une casserole. Couvrir d'eau, porter à ébullition et laisser bouillir 10 minutes. Réduire le feu et laisser mijoter 1 h 30, jusqu'à ce qu'ils soient tendres. Égoutter.

2 Préchauffer le four à 190 °C (th. 6-7). Répartir les haricots dans un plat de service allant au four peu profond, parsemer de fromage et saupoudrer de cumin selon son goût.

3 Cuire au four préchauffé, 10 à 15 minutes, jusqu'à ce que les haricots soient cuits et que le fromage soit doré et fondant.

4 Retirer du four, garnir de crème aigre et ajouter les piments. Parsemer de coriandre et de laitue.

5 Disposer les chips de tortilla dans le plat autour des haricots et servir immédiatement.

2

4

5

coques de pommes de terre croust

4 personnes

4 pommes de terres, cuites avec la peau
2 tranches de lard maigre
115 g de bleu, émietté
huile, pour la friture
crème aigre ou yaourt nature, en garniture

1 Couper les pommes de terre en quartiers et retirer la chair de façon à en laisser 5 mm sur la peau.

2 Passer le lard au gril jusqu'à ce qu'il soit croustillant, transférer sur une planche à découper et couper en petites lanières. Transférer dans une terrine et mélanger avec le bleu.

3 Dans une poêle à frire, chauffer l'huile à 180-190 °C, un dé de pain doit y dorer en 30 secondes. Ajouter délicatement les coques de pommes de terre dans l'huile, faire frire 3 à 4 minutes, jusqu'à ce qu'elles soient croustillantes et dorée, et égoutter sur du papier absorbant.

4 Disposer les coques de pommes de terre dans un plat de service, garnir de préparation à base de lard et napper d'une cuillerée de crème aigre. Servir immédiatement.

CONSEIL

Garnir les coques de pommes de terre de ciboulette fraîche hachée.

Pommes de terre nouvelles au romarin

4 personnes

12 petites pommes de terre nouvelles
115 g de beurre
2 cuil. à soupe de romarin frais haché
sel et poivre
brins de romarin frais, en garniture

VARIANTE

Ajouter 1 ou 2 gousses d'ail au beurre aromatisé.

1 Porter à ébullition une casserole d'eau, ajouter les pommes de terre et cuire jusqu'à ce qu'elles soient tendres. Égoutter.

2 Dans une poêle, faire fondre le beurre, ajouter le romarin et les pommes de terre, et mélanger. Cuire 5 minutes à feu modéré sans cesser de remuer, jusqu'à ce que les pommes de terre soient bien enrobées de beurre au romarin et commencent à dorer.

3 Disposer les pommes de terre dans un plat de service, parsemer de romarin et saler et poivrer selon son goût. Servir immédiatement.

allumettes de pommes de terre chinoises

4 personnes

650 g de pommes de terre
120 ml d'huile
1 piment rouge frais, coupé en deux et épépiné
1 petit oignon, coupé en quartiers
2 gousses d'ail, coupées en deux
2 cuil. à soupe de sauce de soja
1 pincée de sel
1 cuil. à café de vinaigre de vin
1 cuil. à soupe de gros sel
1 pincé de poudre de piment

1 Peler les pommes de terres, couper en fines rondelles et couper les rondelles en fines allumettes.

2 Porter à ébullition une casserole d'eau, blanchir les allumettes 2 minutes et égoutter. Rincer, égoutter et sécher sur du papier absorbant.

3 Dans un wok préchauffé, chauffer l'huile jusqu'à ce qu'elle soit fumante, ajouter le piment, l'oignon et l'ail, et faire revenir 30 secondes. Retirer de la poêle et jeter.

4 Ajouter les allumettes de pommes de terre dans l'huile et faire frire 3 à 4 minutes, jusqu'à ce qu'elles soient dorées.

5 Ajouter la sauce de soja, le sel et le vinaigre dans le wok, réduire le feu et faire revenir 1 minutes, jusqu'à ce que les pommes de terre soient croustillantes.

6 Retirer à l'aide d'une écumoire et égoutter sur du papier absorbant.

7 Transférer les allumettes de pommes de terre dans un plat de service, parsemer de gros sel et de poudre de piment, et servir.

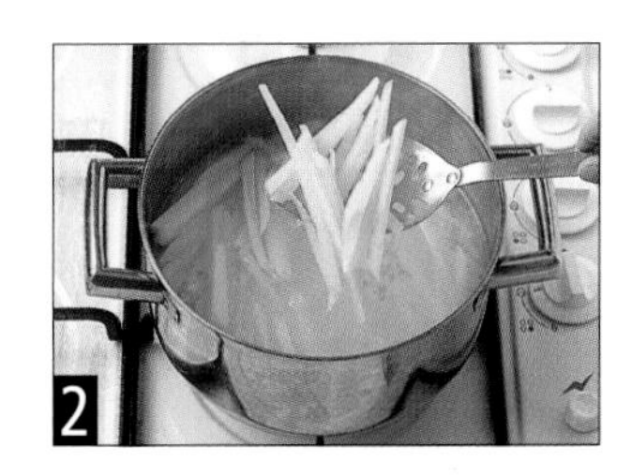

VARIANTE

Vous pouvez parsemer les frites de vos épices préférés comme la poudre de curry. Servez aussi avec une sauce au piment.

kibbeh de pommes de terre

4 personnes

225 g de boulgour
350 g de pommes de terre, coupées en dés
2 petits œufs
2 cuil. à soupe de beurre, fondu
1 pincée de cumin en poudre
1 pincée de coriandre en poudre
1 pincée de noix muscade râpée
sel et poivre
huile, pour la friture
GARNITURE
160 g d'agneau haché
1 petit oignon, haché
1 cuil. à soupe de pignons
2 cuil. à soupe d'abricots secs non pré-trempés hachés
1 pincée de noix muscade râpée
1 pincée de cannelle en poudre
1 cuil. à soupe de coriandre fraîche hachée
2 cuil. à soupe de bouillon d'agneau

1 Dans une terrine résistant à la chaleur, mettre le boulgour, couvrir d'eau bouillante et laisser reposer 30 minutes, jusqu'à ce que l'eau ait été absorbée et que le boulgour ait gonflé.

2 Porter à ébullition une casserole d'eau, ajouter les pommes de terre et cuire 10 minutes, jusqu'à ce qu'elles soient tendres. Égoutter et réduire en purée.

3 Ajouter le boulgour aux pommes de terre avec les œufs, le beurre, le cumin, la coriandre et la noix muscade, mélanger et saler et poivrer selon son goût.

4 Pour la garniture, faire revenir l'agneau dans une poêle, ajouter l'oignon et cuire 2 à 3 minutes. Ajouter les ingrédients restants de la garniture, cuire encore 5 minutes, jusqu'à ce que le bouillon soit absorbé, et laisser tiédir. Diviser la préparation en huit et rouler en boulettes.

5 Diviser la préparation à base de pommes de terre en huit, abaisser en ronds de pâte et déposer une boulette de garniture au centre. Façonner une boule de sorte que la garniture soit bien enrobée de préparation à base de pommes de terre.

6 Dans une poêle à frire, chauffer l'huile à 180-190 °C, un dé de pain de pain doit y dorer 30 secondes. Cuire les kibbeh 5 à 7 minutes, jusqu'à ce qu'ils soient dorés, égoutter sur du papier absorbant et servir immédiatement.

3

5

5

chips au paprika

4 personnes

2 grosses pommes de terre
3 cuil. à soupe d'huile d'olive
½ cuil. à café de paprika
sel

VARIANTE

Vous pouvez remplacer le paprika par une autre épice de votre choix comme la poudre de curry, si vous préférez.

1 À l'aide d'un couteau tranchant, couper les pommes de terre en très fines lamelles de sorte qu'elles soient presque transparentes, rincer et égoutter. Sécher sur papier absorbant.

2 Dans une poêle, chauffer l'huile et ajouter le paprika sans cesser de remuer de façon à éviter qu'il brûle.

3 Ajouter les pommes de terre et cuire en une seule couche 5 minutes, jusqu'à ce que les bords commencent à se recourber.

4 Retirer de la poêle à l'aide d'une écumoire et transférer sur du papier absorbant.

5 Piquer les rondelles de pommes de terre sur des brochettes en bois pré-trempées.

6 Parsemer de sel et passer au gril préchauffé 10 minutes en tournant fréquemment, jusqu'à ce que les pommes de terre commencent à croustiller. Saler de nouveau selon son goût et servir immédiatement.

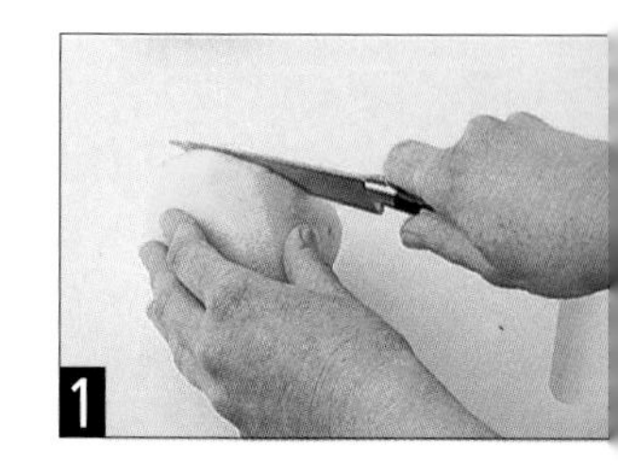

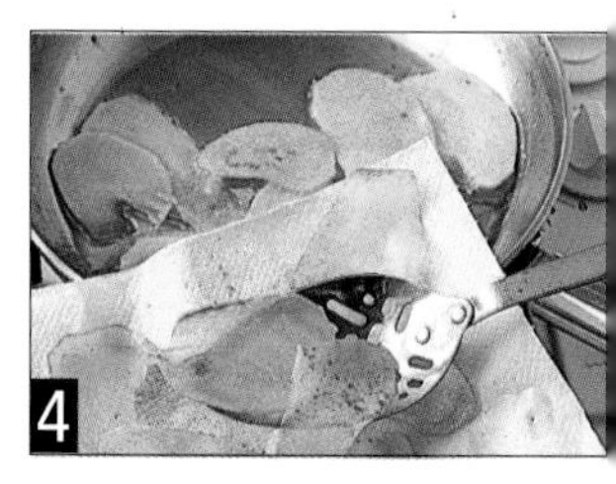

frites au four

4 personnes

450 g de pommes de terre, pelées
2 cuil. à soupe d'huile de maïs
sel et poivre

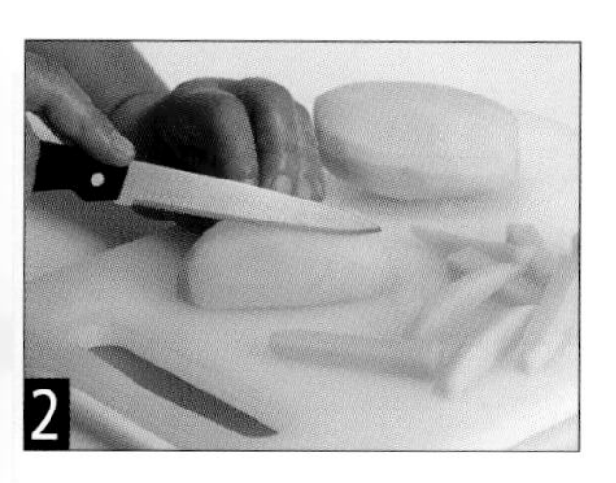

1 Préchauffer le four à 200 °C (th. 6-7).

2 Couper les pommes de terre en frites épaisses, rincer à l'eau courante et égoutter sur du papier absorbant. Transférer dans une terrine, ajouter l'huile et remuer de façon à bien enrober les frites d'huile.

3 Répartir les frites sur un plaque de four et cuire au four préchauffé, 40 à 45 minutes en les retournant une fois, jusqu'à ce qu'elles soient dorées. Saler et poivrer selon son goût et servir chaud.

Pains

Le pain permet de déguster simplement nombre de sauces et de garnitures délicieuses, et se doit donc d'être à la hauteur. Les pizzas, quant à elles, plairont toujours et pourront même surprendre si vous essayez les différentes bases proposées ici. Toutes sorte de toasts sont également proposés comme la bruschetta (page 214) ou les toasts aux œufs et à la tapenade et les toasts au basilic et aux courgettes (pages 233 et 236). N'ont pas été oubliées les recettes de pain à préparer soi-même comme les mini-focaccia (page 238) ou les petits pains aux tomates séchées (page 239) pour un goût méditerranéen authentique. Pour faire grande impression, servez des rouleaux au jambon et au parmesan (page 251) ou des bouchées aux anchois (page 252).

bruschetta

pour 30 pièces

3 baguettes
150 g de pesto vert
150 g de pesto rouge
450 g de mozzarella, émiettée
2 cuil. à café d'origan séché
poivre
3 cuil. à soupe d'huile d'olive

VARIANTE

Utilisez du fromage de chèvre, émietté ou coupé en rondelles, à la place de la mozzarella. Parsemez les bruschetta de feuilles de basilic ciselées au lieu de l'origan frais, avant de cuire au four.

1 Préchauffer le four à 220 °C (th. 7-8). Couper les baguettes en biais en fines tranches et passer au gril préchauffé, jusqu'à ce qu'elles soient dorées.

2 Napper la moitié des tranches de pesto vert et l'autre moitié de pesto rouge, garnir de mozzarella et parsemer d'origan. Poivrer selon son goût.

3 Disposer les tranches sur une plaque de four, cuire au four préchauffé, 5 minutes, jusqu'à ce que le fromage soit fondu et doré. Retirer du four, laisser reposer 5 minutes et servir immédiatement.

pain à l'ail

4 personnes

150 g de beurre, en pommade
3 gousses d'ail, hachées
2 cuil. à soupe de persil frais haché
poivre
2 baguettes pain

VARIANTE

Vous pouvez également cuire le pain à l'ail au four préchauffé, à 190 °C, 15 minutes.

1 Dans une jatte, mélanger le beurre, l'ail et le persil, et poivrer selon son goût.

2 Couper les baguettes en tranches, napper un côté de beurre à l'ail et rassembler le pain en l'enfermant dans du papier d'aluminium.

3 Passer au gril préchauffé 10 à 15 minutes, jusqu'à ce que le beurre soit fondu et que le pain soit très chaud.

4 Servir en accompagnement de différents plats de viande.

1

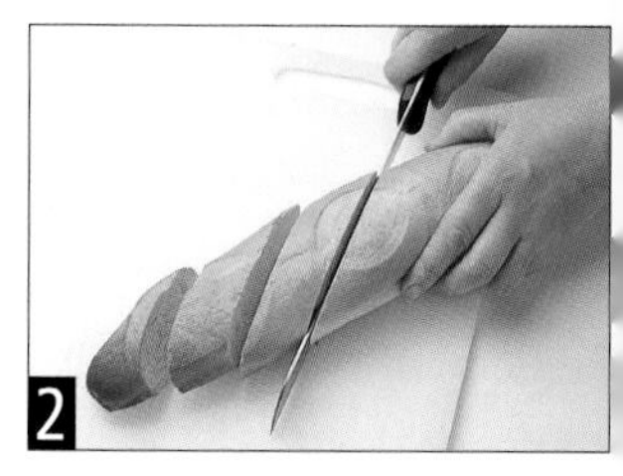
2

2

piperade

4 à 6 personnes

2 cuil. à soupe d'huile d'olive
1 gros oignon, finement haché
1 gros poivron rouge, épépiné et émincé
1 gros poivron jaune, épépiné et émincé
1 gros poivron vert, épépiné et émincé
8 gros œufs
sel et poivre
2 tomates, épépinées et hachées
2 cuil. à soupe de persil plat frais haché
brins de persil plat frais, en garniture
4 à 6 tranches de pain de campagne, en accompagnement

1 Dans une poêle, chauffer l'huile à feu fort, ajouter l'oignon et les poivrons, et réduire le feu. Cuire 15 à 20 minutes sans cesser de remuer, jusqu'à ce qu'ils soient tendres.

2 Battre les œufs, saler et poivrer selon son goût et réserver.

3 Verser les œufs dans la poêle, cuire à feu doux sans cesser de remuer jusqu'à ce que les œufs soient juste pris et toujours crémeux, et retirer du feu.

4 Incorporer les tomates et le persil haché, rectifier l'assaisonnement et garnir les tranches de pain de la préparation obtenue. Répartir sur des assiettes, garnir de persil et servir immédiatement.

CONSEIL

Pour un plat plus substantiel, garnir la préparation de jambon Serrano d'Espagne ou de prosciutto d'Italie. Le goût salé du jambon contrastera à merveille avec le sucré des poivrons.

bruschetta à l'olive et à la tomate

4 personnes

120 ml d'huile d'olive
1 petit pain ciabatta,
coupé en tranches de 1 cm
d'épaisseur
4 tomates, épépinées et coupées
en dés
6 feuilles de basilic fraîches, ciselées
sel et poivre
8 olives noires, dénoyautées
et hachées
1 gousse d'ail, pelée et coupée
en deux

1 Dans une terrine, verser l'huile, ajouter le pain et laisser reposer 1 à 2 minutes. Retourner le pain et laisser reposer encore 2 minutes, jusqu'à ce que le pain soit bien imbibé d'huile.

2 Dans une autre terrine, mettre les tomates, parsemer de basilic et saler et poivrer selon son goût. Ajouter les olives, verser l'huile restante et laisser macérer.

3 Passer le pain au gril préchauffé 2 minutes de chaque côté, jusqu'à ce qu'il soit doré et croustillant.

4 Retirer le pain du gril et disposer sur un plat de service.

5 Frotter les gousses d'ail sur le pain, garnir de préparation à base de tomates et servir immédiatement.

1

figues fraîches au gorgonzola

4 personnes

4 figues fraîches
8 tranches de baguette
ou de ciabatta
115 g de gorgonzola ou de bleu, coupé en tranches ou émietté

1 Couper les figues en fines rondelles. Passer le pain au gril préchauffé jusqu'à ce qu'un côté soit grillé et retirer du feu.

2 Retourner le pain et garnir de fromage en s'assurant que tout le pain est bien couvert.

3 Disposer les tranches de figues sur le fromage.

4 Passer au gril 3 à 4 minutes, jusqu'à ce que le fromage soit fondant et que les figues soient chaudes, transférer dans un plat de service et servir immédiatement.

1

2

3

mini-pizzas au pepperoni

pour 12 mini-pizzas

PÂTE
525 g de farine levante, un peu plus pour saupoudrer
1 cuil. à café de sel
85 g de beurre, coupé en dés
300 à 360 ml de lait
huile d'olive, pour graisser

GARNITURE
180 ml de sauce tomate prête à l'emploi
115 g de lard fumé, coupé en dés
1 poivron orange, épépiné et haché
85 g pepperoni, coupé en rondelles
55 g de mozzarella, râpée
½ cuil. à café d'origan séché
huile d'olive, pour napper
sel et poivre

1 Préchauffer le four à 200 °C (th. 6-7). Par la pâte, tamiser la farine et le sel dans une terrine, incorporer le beurre avec les doigts de façon à obtenir une consistance de chapelure et ménager un puits au centre. Ajouter 300 ml de lait, mélanger à l'aide d'une spatule jusqu'à obtention d'une pâte homogène et ajouter du lait si nécessaire.

2 Sur un plan fariné, malaxer délicatement, diviser en douze et abaisser chaque portion en un petit rond. Huiler une plaque de four, répartir les ronds de pâte et façonner une bordure en pinçant les extrémités.

3 Pour la garniture, napper les ronds de pâte de sauce tomate, garnir de lard, de poivron et de pepperoni, et parsemer de fromage. Napper d'huile, parsemer d'origan et saler et poivrer selon son goût.

4 Cuire au four préchauffé, 10 à 15 minutes, jusqu'à ce que les bords soient croustillants et que le fromage soit fondu. Servir immédiatement.

mini-pizzas de muffin

pour 8 mini-pizzas

4 muffins anglais
120 ml de sauce tomate prête à l'emploi
2 tomates séchées au soleil à l'huile, hachées
55 g de prosciutto
2 rondelles d'ananas en boîte, hachées
½ poivron vert, épépiné et haché
125 g de mozzarella, finement émincée
huile d'olive, pour napper
sel et poivre
feuilles de basilic fraîches, en garniture

CONSEIL

Vous pouvez innover en vous procurant des muffins plus élaborés, comme des muffins complets ou au fromage. Les muffins se congèlent bien, ainsi vous en aurez toujours sous la main pour des pizza express.

1 Couper les muffins en deux dans l'épaisseur et passer au gril jusqu'à ce qu'ils soient dorés.

2 Napper de sauce tomate et parsemer de tomates séchées au soleil.

3 Couper le prosciutto en lanières, garnir les muffins et ajouter le poivron et l'ananas.

4 Disposer les tranches de fromage sur la garniture.

5 Napper d'huile d'olive et saler et poivrer selon son goût.

6 Passer au gril préchauffé jusqu'à ce que le fromage soit fondu.

7 Servir immédiatement, garni de feuilles de basilic.

2

2

5

pan bagna

4 personnes

1 grosse baguette de 40 cm de long
2 cuil. à soupe d'huile d'olive fruitée
tapenade (page 20), pour napper (facultatif)

GARNITURE
2 œufs durs, écalés
50 g d'anchois à l'huile, égouttés
50 g d'olives aromatisées, selon son goût
laitue, rincée et égouttée
4 tomates olivettes, coupées en rondelles
200 g de thon en boîte, égoutté et émietté

VARIANTE

Une autre garniture typiquement méditerranéenne est à base d'ail, de poivrons, de fèves, de cœurs d'artichauts, d'oignons espagnols, de fines herbes et d'olives dénoyautées.

1 Pour la garniture, couper les œufs en rondelles, égoutter les anchois et les couper en deux dans la longueur. Dénoyauter les olives et les couper en deux dans la longueur.

2 Couper le pain en deux dans la longueur, retirer la mie de pain au centre des moitiés de baguette.

3 Enduire une moitié de baguette d'huile, napper de tapenade et garnir de laitue.

4 Ajouter les rondelles d'œufs, les tomates, les olives, les anchois et le thon, et ajouter de la laitue entre les différentes couches.

5 Couvrir avec l'autre moitié de baguette, presser fermement et envelopper de film alimentaire. Maintenir pressé, mettre au réfrigérateur quelques heures et couper en quatre en maintenant avec du fil de cuisine.

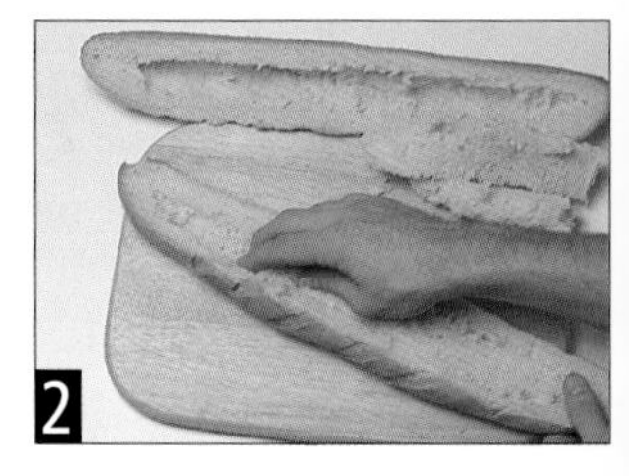
2

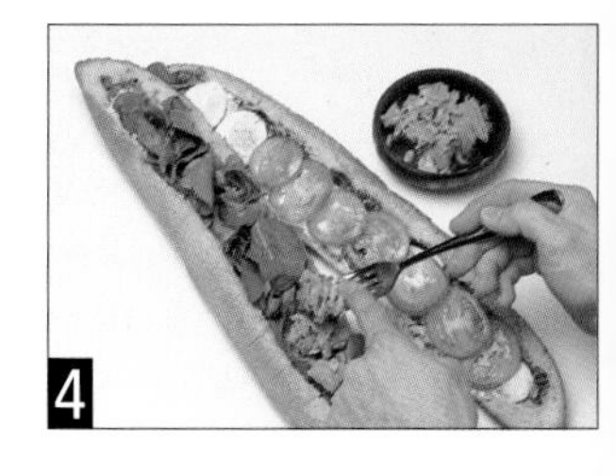
4

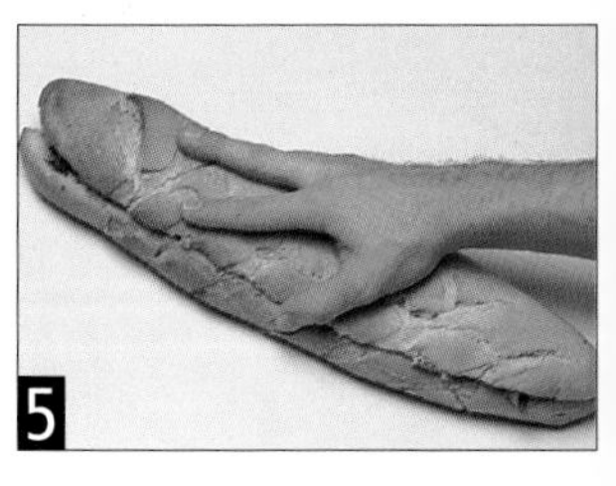
5

mini-pizzas

8 personnes

PÂTE À PIZZA

- 2 cuil. à soupe de levure déshydratée
- 1 cuil. à soupe de sucre
- 240 ml d'eau
- 200 g de farine, un peu plus pour saupoudrer
- 1 cuil. à café de sel
- 1 cuil. à soupe d'huile d'olive, un peu plus pour huiler

GARNITURE

- 2 courgettes
- 75 g de purée de tomates
- 75 g de pancetta, coupée en dés
- 25 g d'olives noires dénoyautées, hachées
- sel et poivre
- 1 cuil. de fines herbes séchées
- 2 cuil. à soupe d'huile d'olive

1 Dans une terrine, mélanger la levure et le sucre, ajouter 4 cuillerées à soupe d'eau et laisser reposer 15 minutes près d'une source de chaleur, jusqu'à ce que la préparation devienne mousseuse.

2 Dans une autre terrine, mélanger la farine et le sel, ménager un puits au centre et verser l'huile, la mélange précédent et l'eau restante. Mélanger à l'aide d'une cuillère en bois jusqu'à obtention d'une consistance homogène.

3 Sur un plan fariné, pétrir la pâte 4 à 5 minutes, jusqu'à ce qu'elle soit souple, remettre dans la terrine, couvrir de film alimentaire huilé et laisser reposer 30 minutes de sorte que la pâte double de volume.

4 Préchauffer le four à 200 °C (th. 6-7). Pétrir la pâte 2 minutes, diviser en 8 boules (ou en 16 pour des pizzas de cocktail) et abaisser en petits ronds de sorte qu'ils aient 5 mm d'épaisseur. Transférer sur une plaque de four huilée et égaliser les bords.

5 Pour la garniture, râper finement la courgette, couvrir de papier absorbant et laisser reposer de façon à laisser absorber les jus.

4

6

6 Étaler les tomates sur les ronds de pâte, garnir de courgette, de pancetta et d'olives, et saler et poivrer selon son goût. Parsemer de fines herbes et napper d'huile.

7 Cuire au four préchauffé, 15 minutes, jusqu'à ce que les pizzas soient croustillantes, saler et poivrer selon son goût et servir chaud.

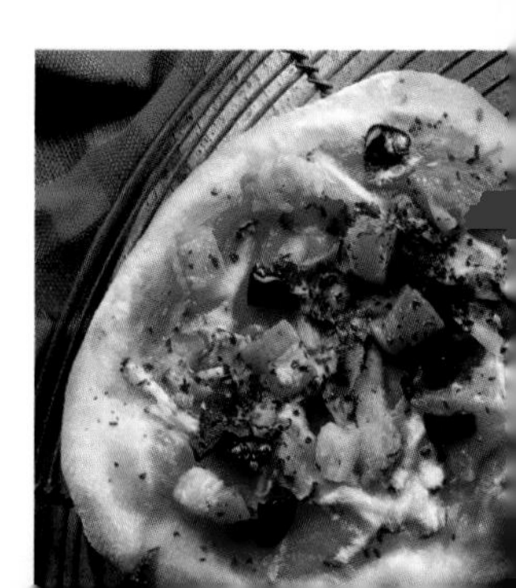

mini-pizzas de pain pita

pour 16 mini-pizzas

8 asperges
16 mini-pains pita
6 cuil. à soupe de sauce tomate prête à l'emploi
25 g de cheddar, râpé
30 g de ricotta
60 g de saumon fumé
huile d'olive, pour napper
poivre
brins de persil frais, en garniture

VARIANTE

Essayez de vous procurer des lanières de saumon, qui sont relativement meilleur marché. Utilisez aussi de la truite pour remplacer le saumon ou tentez d'utiliser d'autres poisson fumés pour un peu de variété.

1

4

5

1 Préchauffer le four à 200 °C (th. 6-7). Couper les asperges en morceaux de 2,5 cm de long et couper chaque morceau en deux de la hauteur.

2 Porter à ébullition une casserole d'eau salée, ajouter les asperges et blanchir 2 minutes. Égoutter, plonger dans l'eau froide et égoutter de nouveau.

3 Répartir les pains pita sur 2 plaques de four et napper chaque pain de sauce tomate.

4 Mélanger les fromages et répartir sur les pains pita.

5 Couper les tranches de saumon en 16 longues lanières, en disposer une sur chaque pain pita et répartir les asperges sur le saumon.

6 Napper d'huile et poivrer selon son goût.

7 Cuire au four préchauffé, 8 à 10 minutes, garnir de brins de persil et servir immédiatement.

mini-pizzas à l'oignon

4 personnes

75 g de farine, un peu plus pour saupoudrer
½ cuil. à café de levure de boulanger
½ cuil. à café de sel
1 cuil. à soupe d'huile d'olive
120 à 250 ml d'eau

GARNITURE
4 cuil. à soupe d'huile d'olive
1 gros oignon, finement émincé
1 cuil. à café de sucre roux
1 cuil. à café de vinaigre balsamique
55 g de féta, de mozzarella ou de gorgonzola, râpé ou émietté

1 Dans une terrine, mélanger la farine, la levure et le sel, verser la moitié de l'huile et ménager un puits au centre. Ajouter de l'eau de façon à obtenir une pâte souple et élastique, pétrir sur un plan fariné jusqu'à ce que la pâte ne soit plus collante et ajouter de la farine si nécessaire. Graisser la terrine avec l'huile restante, remettre la pâte dans la terrine et retourner de façon à bien l'enrober d'huile. Couvrir avec un torchon et laisser lever 1 heure, de sorte qu'elle double de volume.

2 Pour la garniture, chauffer l'huile dans une poêle à feu modéré, ajouter l'oignon et cuire 10 minutes. Saupoudrer de sucre, cuire encore 5 minutes en remuant de temps en temps et ajouter le vinaigre balsamique. Cuire 5 minutes, retirer du feu et laisser refroidir.

3 Préchauffer le four à 220 °C (th. 7-8). Pétrir la pâte jusqu'à ce qu'elle soit souple, diviser en quatre et abaisser de façon à obtenir des ronds. Disposer sur une plaque de four, répartir les oignons sur les ronds de pâte et garnir de fromage. Cuire au four préchauffé, 10 minutes, retirer du four et servir.

1

1

2

mini-pizzas aux artichauts

pour 12 mini-pizzas

PÂTE

525 g de farine levante, un peu plus pour saupoudrer
1 cuil. à soupe de sel
85 g de beurre, coupé en dés
300 à 360 ml de lait
huile d'olive, pour huiler

GARNITURE

180 ml de sauce tomate prête à l'emploi
55 g de gorgonzola, coupé en dés
115 g de cœurs d'artichauts en boîte, égouttés
2 échalotes, hachées
55 g de gruyère, râpé
4 cuil. à soupe de parmesan fraîchement râpé
½ cuil. à café d'origan frais haché
huile d'olive, pour napper
sel et poivre

1 Préchauffer le four à 200 °C (th. 6-7). Préparer la pâte en suivant les étapes 1 et 2 de la page 222.

2 Pour la garniture, napper les ronds de pâte de sauce tomate, garnir de gorgonzola, de cœurs d'artichauts et d'échalotes, et parsemer de gruyère et de parmesan. Napper d'huile, parsemer d'origan et saler et poivrer selon son goût.

3 Cuire au four préchauffé, 10 à 15 minutes, jusqu'à ce que la pâte soit croustillante et le fromage fondant, et servir immédiatement.

1

2

2

crostinis à la florentine

4 personnes

3 cuil. à soupe d'huile d'olive
1 oignon, haché
1 branche de céleri, hachée
1 carotte, hachée
1 ou 2 gousses d'ail, hachées
125 g de foies de poulet
125 g de foies d'agneau ou de porc
160 ml de vin rouge
1 cuil. à soupe de concentré de tomates
2 cuil. à soupe de persil frais haché
3 ou 4 anchois en boîte, finement hachés
2 cuil. à soupe d'eau ou de bouillon
sel et poivre
2 à 3 cuil. à soupe de beurre
1 cuil. à soupe de câpres
persil frais haché, en garniture
petites tranches de pain frais, grillées, en accompagnement

1 Dans une poêle, chauffer l'huile, ajouter l'oignon, le céleri, la carotte et l'ail, et cuire 4 à 5 minutes à feu doux, jusqu'à ce que l'oignon soit tendre sans avoir doré.

2 Rincer les foies, sécher et couper en lanières. Ajouter dans la poêle et cuire quelques minutes, jusqu'à ce qu'ils soient saisis.

3 Mouiller avec la moitié du vin, cuire jusqu'à ce qu'il soit évaporé et ajouter le vin restant avec le concentré de tomates, la moitié du persil, les anchois et le bouillon. Saler et poivrer selon son goût.

4 Couvrir et laisser mijoter 15 à 20 minutes à feu doux en remuant de temps en temps, jusqu'à ce que le tout soit tendre et que le liquide soit absorbé.

5 Laisser tiédir et grossièrement écraser ou mixer dans un robot de cuisine en purée onctueuse.

6 Remettre dans la poêle, ajouter le beurre, les câpres et le persil restant, et chauffer jusqu'à ce que le beurre fonde. Rectifier l'assaisonnement, transférer dans un plat de service et servir chaud ou froid, tartiné sur des tranches de pain grillées, parsemées de persil haché.

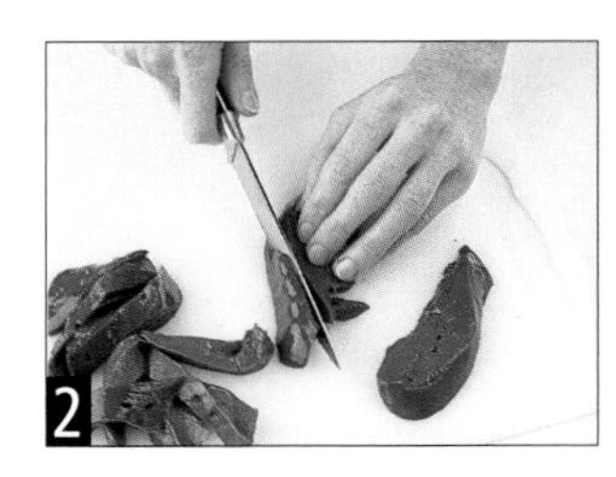
2

3

6

mini-croustades garnies

pour 48 mini-croustades

CROUSTADES
600 g de beurre
12 grosses tranches de pain blanc

GARNITURE AU FROMAGE ET À LA TOMATE
tapenade (page 233)
mozzarella, coupée en rondelles
tomates cerises, coupées en deux
feuilles de basilic, en garniture

GARNITURE AU CRABE
115 g de chair de crabe, égouttée
120 ml de mayonnaise
1 pincée de sel de céleri
2 œufs, durs
brins d'aneth fraîche, en garniture

1 Préchauffer le four à 180 °C (th. 6). Préparer les croustades en 4 fois. Dans une poêle, faire fondre le quart du beurre à feu doux, couper 12 ronds de pain à l'aide d'un emporte-pièce de 7,5 cm de diamètre et plonger dans le beurre fondu. Transférer dans un moule à muffins en appuyant bien.

2 Couvrir le moule à muffins avec un second moule de façon à maintenir les croustades à la cuisson et cuire au four préchauffé 15 à 20 minutes, jusqu'à ce que les croustades soient croustillantes et dorées. Transférer sur une grille, laisser refroidir complètement et répéter l'opération avec le pain et le beurre restant. Garnir selon son goût et servir immédiatement.

3 Pour la garniture à la tomate et au fromage, répartir la tapenade dans les croustades, garnir d'une tranche de mozzarella et d'une moitié de tomate, et décorer d'une feuille de basilic.

4 Pour la garniture au crabe, mettre la chair de crabe dans une terrine, émietter à l'aide d'une fourchette et ajouter la mayonnaise et le sel de céleri. Écaler les œufs, hacher finement et ajouter dans la terrine. Garnir les croustades et décorer d'aneth fraîche.

1

3

4

toasts aux œufs et à la tapenade

pour 8 toasts

1 petite baguette
4 tomates, coupées en rondelles
4 œufs, durs
4 anchois en bocal ou en boîte à l'huile d'olive, égouttés et coupés en deux dans la longueur
8 olives noires marinées, dénoyautées
feuilles de frisée, en garniture

TAPENADE

60 g d'olives noires, dénoyautées
6 anchois en bocal ou en boîte à l'huile d'olive, égouttés
2 cuil. à soupe de câpres, rincées
2 gousses d'ail, hachées
1 cuil. à café de moutarde de Dijon
2 cuil. à soupe de jus de citron
1 cuil. à café de thym frais
poivre
4 à 5 cuil. à soupe d'huile d'olive

1 Pour la tapenade, mettre les olives, les anchois, les câpres, l'ail, la moutarde, le jus de citron et le thym dans un robot de cuisine, poivrer selon son goût et mixer 20 à 25 secondes, jusqu'à obtention d'une consistance homogène, en raclant les parois. Moteur en marche, ajouter progressivement l'huile, jusqu'à obtention d'une pâte onctueuse, transférer dans une terrine et couvrir de film alimentaire. Réserver.

1

2 Couper la baguette en 8 tranches, jeter les croûtons et passer au gril jusqu'à ce que les deux côtés soient grillés. Laisser refroidir et réserver.

2

3 Napper les toasts de tapenade et garnir de rondelles de tomates. Écaler les œufs, couper en rondelles et disposer sur les tomates. Garnir chaque rondelle d'œuf de tapenade restante et disposer les anchois autour des rondelles d'œuf de façon à former un S. Couper les olives marinées en deux, disposer 2 moitiés sur chaque toast et garnir de feuilles de frisée. Servir immédiatement.

3

petits en-cas à la mozzarella

4 personnes

- 8 tranches de pain, légèrement rassis, sans la croûte
- 100 g de mozzarella, coupée en tranches épaisses
- 25 g d'olives noires, hachées
- 8 anchois en boîte, égouttés et hachés
- 16 feuilles de basilic frais
- sel et poivre
- 4 œufs, battus
- 160 ml de lait
- huile, pour la friture
- brins de basilic frais, en garniture

1 À l'aide d'un couteau tranchant, couper chaque tranche de pain en 2 triangles et garnir 8 triangles de mozzarella, d'olives et d'anchois.

2 Garnir de feuilles de basilic et saler et poivrer selon son goût.

3 Couvrir avec 8 autres triangles de pain et presser les bords de façon à souder les sandwichs obtenus en enfermant la garniture.

4 Dans une terrine, mélanger les œufs et le lait, ajouter les sandwichs triangulaires et laisser tremper 5 minutes.

5 Dans une friteuse, chauffer l'huile à 180-190 °C, un dé de pain doit y dorer en 30 secondes.

6 Souder de nouveau les bords des sandwichs de façon à ce que la garniture ne s'échappe pas dans l'huile.

7 Mettre les sandwichs dans l'huile, cuire 2 minutes en les retournant 2 fois, jusqu'à ce qu'ils soient dorés, et retirer à l'aide d'une écumoire. Égoutter sur du papier absorbant, garnir de basilic et servir immédiatement.

petits toasts au basilic et à la courgette

4 personnes

- 4 tranches de pain de mie
- 55 g de beurre, fondu
- 4 œufs
- 480 ml de lait
- 1 petit oignon, finement haché
- 1 courgette, râpée
- 50 g de fromage, râpé
- 200 g de chapelure
- 1 cuil. à soupe de basilic frais haché
- sel et poivre
- 1 pincée de paprika
- 2 cuil. à soupe de parmesan, râpé

1 Préchauffer le four à 190 °C (th. 6-7). Retirer la croûte du pain, chemiser un moule à muffins et enduire de beurre fondu.

2 Dans une terrine, battre les œufs, incorporer le lait et ajouter l'oignon, la courgette, le fromage, la chapelure et le basilic. Saler et poivrer selon son goût et mélanger.

3 Verser la garniture obtenue dans les moules à muffins, saupoudrer de paprika et de parmesan, et cuire au four préchauffé, 45 minutes, jusqu'à ce que les toasts soient dorés et cuits.

4 Éteindre le four, laisser les toasts refroidir 10 minutes dans le four et transférer dans un plat de service.

1

2

3

sincronizadas

6 personnes

huile, pour la friture
10 tortillas
500 g de fromage, râpé
225 g de jambon cuit, coupé en dés
salsa, selon son goût
crème aigre aux fines herbes, en garniture

VARIANTE

Pour une version végétarienne, faites cuire 225 g de champignons dans de l'huile d'olive avec 1 gousse d'ail écrasée. Vous pouvez également faire revenir de l'ail dans dans de l'huile d'olive, ajouter des épinards et faire cuire jusqu'à ce que les feuilles soient flétries.

CONSEIL

Utilisez des maniques ou un torchon pour vous saisir de la poêle et de l'assiette, lorsque vous retournerez les tortillas.

1 Hors du feu, huiler une poêle antiadhésive, déposer 1 tortilla dans la poêle et garnir de fromage et de jambon. Napper une seconde tortilla de salsa, disposer dans la poêle, côté salsa vers le bas, et bien appuyer.

2 Cuire à feu modéré jusqu'à ce que le fromage soit fondu et que la base soit légèrement dorée.

3 Disposer une assiette à l'envers sur la poêle et retourner la poêle sur l'assiette avec précaution.

4 Faire glisser les tortillas dans la poêle et cuire jusqu'à ce que l'autre côté soit doré.

5 Retirer de la poêle, couper en quartiers et garnir de crème aigre aux fines herbes. Répéter l'opération avec les tortillas restantes.

1

2

4

mini-focaccias

4 personnes

2 cuil. à soupe d'huile d'olive, un peu plus pour graisser
225 g de farine, un peu plus pour saupoudrer
½ cuil. à café de sel
1 sachet de levure de boulanger
240 ml d'eau tiède
50 g d'olives vertes ou noires, dénoyautées

GARNITURE
2 oignons rouges, émincés
2 cuil. à soupe d'huile d'olive
1 cuil. à soupe de gros sel
1 cuil. à soupe de de thym frais

4

4

1 Huiler plusieurs plaques de four. Dans une terrine, tamiser la farine et le sel, incorporer la levure et verser l'huile et l'eau. Malaxer jusqu'à obtention d'une pâte.

2 Sur un plan fariné, pétrir la pâte 5 minutes ou malaxer dans un robot de cuisine muni d'un crochet pétrisseur.

3 Mettre la pâte dans une terrine huilée, couvrir et laisser lever 1 heure à 1 h 30 près d'une source de chaleur, de sorte qu'elle double de volume. Pétrir encore 1 à 2 minutes.

4 Incorporer la moitié des olives à la pâte, diviser en quatre et façonner des ronds. Transférer sur des plaques de four et imprimer des empreintes de doigt de façon à obtenir une jolie finition.

5

5 Pour la garniture, parsemer d'oignons et d'olives, napper d'huile et parsemer de feuilles de thym et de gros sel. Couvrir et laisser reposer 30 minutes.

6 Cuire au four préchauffé, à 190 °C (th. 6-7), 20 à 25 minutes, jusqu'à ce que la focaccia soit dorée, transférer sur une grille et laisser refroidir. Servir.

VARIANTE

Utilisez cette quantité de pâte pour confectionner une grande et unique focaccia.

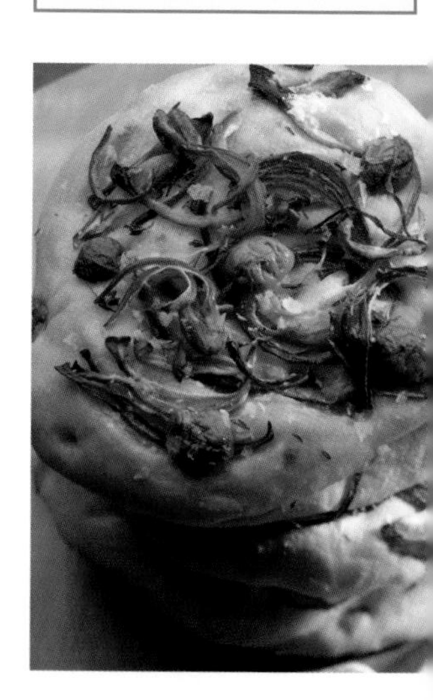

petits pains aux tomates séchées

8 personnes

100 g de beurre, fondu et refroidi légèrement, un peu plus pour graisser

150 g de farine, un peu plus pour saupoudrer

½ cuil. à café de sel

1 sachet de levure de boulanger

3 cuil. à soupe de lait, chaud, un peu plus pour dorer

2 œufs, battus

60 g de tomates séchées au soleil, bien égouttées et finement hachées

VARIANTE

Ajoutez des anchois ou des olives aromatisées à l'étape 4 pour ajouter un peu plus de saveur.

1 Graisser une plaque de four. Dans une terrine, tamiser la farine et le sel, incorporer la levure et ajouter le beurre, le lait et les œufs. Mélanger jusqu'à obtention d'une pâte.

2 Sur un plan fariné, pétrir la pâte 5 minutes ou malaxer dans un robot de cuisine muni d'un crochet pétrisseur.

3 Mettre la pâte dans une terrine huilée, couvrir et laisser lever près d'une source de chaleur 1 heure à 1 h 30, de sorte qu'elle double de volume. Pétrir encore 1 à 2 minutes.

4 Préchauffer le four à 230 °C (th. 7-8). Sur un plan fariné, incorporer les tomates séchées à la pâte, diviser en 8 boules et disposer sur la plaque de four. Couvrir et laisser reposer 30 minutes, de sorte que les boules de pâte doublent de volume.

5 Enduire les boules de pâte de lait, cuire au four préchauffé, 10 à 15 minutes, jusqu'à ce qu'elles soient dorées, et transférer sur une grille. Laisser refroidir et servir.

pain au fromage et à la ciboulette

8 personnes

- 2 cuil. à soupe de beurre, fondu, un peu plus pour garnir
- 150 g de farine levante
- 1 cuil. à café de sel
- 1 cuil. à café de poudre de moutarde
- 100 g de fromage, râpé
- 2 cuil. à soupe de ciboulette hachée
- 1 œuf, battu
- 160 ml de lait

1 Préchauffer le four à 190 °C (th. 6-7), beurrer un moule carré de 23 cm et chemiser de papier sulfurisé.

2 Dans une terrine, tamiser la farine, le sel et la poudre de moutarde, ajouter le fromage en réservant 3 cuillerées à soupe pour la garniture et incorporer la ciboulette. Ajouter l'œuf, le beurre et le lait, et mélanger jusqu'à obtention d'une consistance homogène.

CONSEIL

Vous pouvez utilisez tous les types de fromage à pâte dure, comme le cheddar, le leicester, l'emmental ou le gruyère.

3 Répartir la préparation obtenue dans le plat, lisser la surface à l'aide d'un couteau et saupoudrer de fromage. Cuire au four préchauffé, 30 minutes, laisser tiédir et transférer sur une grille. Laisser refroidir complètement, couper en triangles et servir.

2

2

3

cake aux olives

pour 12 à 15 tranches

beurre, pour graisser
150 g d'olives vertes ou noires dénoyautées
200 g de farine levante
4 gros œufs
1 cuil. à soupe de sucre en poudre
sel et poivre
120 ml de lait
120 ml d'huile

CONSEIL

Vous pourrez conserver le cake aux olives 2 jours au réfrigérateur dans un récipient hermétique.

1 Préchauffer le four à 200 °C (th. 6-7), beurrer un moule à manqué de 20 cm de diamètre et de 5 cm de profondeur, et chemiser le fond de papier sulfurisé. Dans une terrine, mettre les olives et ajouter 2 cuillerées à soupe de farine.

2 Dans une autre terrine, battre les œufs, ajouter le sucre et saler et poivrer selon son goût. Incorporer le lait et l'huile.

3 Tamiser la farine restante dans la terrine, ajouter les olives et répartir dans le moule préparé en lissant la surface à l'aide d'un couteau.

4 Cuire au four préchauffé, 45 minutes, réduire la température à 160 °C et cuire encore 15 minutes, jusqu'à ce que le cake ait levé hors du moule et soit doré.

5 Retirer du four, disposer le moule sur une grille et laisser refroidir 20 minutes. Démouler, retirer le papier sulfurisé et laisser refroidir complètement.

2

chips de pain pita

4 personnes

4 pains pita

2 cuil. à soupe d'huile ou de beurre fondu

GARNITURE

1 cuil. à café de graines d'oignon, d'aneth, de cumin ou de coriandre hachées (facultatif)

1 cuil. à café de romarin frais haché (facultatif)

1 cuil. à café de gros sel (facultatif)

2 gousses d'ail, finement hachées (facultatif)

1 Préchauffer le four à 200 °C (th. 6-7) et couper les pains pita en deux dans l'épaisseur.

2 Enduire les pains pita de beurre ou d'huile.

3 Disposer sur une plaque de four, parsemer de la garniture de son choix et cuire 5 minutes au four préchauffé, jusqu'à ce qu'ils soient dorés et croustillants. Retirer du four, couper en lanières ou en triangles et servir immédiatement, accompagné d'une sauce (pages 10 à 55).

1

2

3

croûtons au fromage de chèvre

4 personnes

120 ml d'huile d'olive vierge extra
8 tranches de baguette ou de ciabatta de 1 cm d'épaisseur
115 g de fromage de chèvre
poivre
1 cuil. à soupe de ciboulette fraîche hachée

1 Préchauffer le four à 180 °C (th. 6). Dans une terrine, verser l'huile, ajouter le pain et laisser reposer 1 à 2 minutes. Retourner et laisser reposer encore 2 minutes, jusqu'à ce que le pain soit bien imbibé.

2 Couper 8 rondelles de fromage de chèvre ou émietter grossièrement.

3 Disposer les tranches de pain sur une plaque de four, cuire au four préchauffé, 5 minutes, et retirer du four. Retourner les tranches de pain, garnir de fromage et saupoudrer de poivre.

4 Cuire au four encore 5 minutes, jusqu'à ce que le fromage commence à fondre, retirer du four et répartir les croûtons dans des assiettes. Parsemer de ciboulette et servir immédiatement.

1

2

3

gressins au sésame

pour 32 gressins

150 g de farine, un peu plus pour saupoudrer
175 g de farine complète
1 sachet de levure de boulanger
2 cuil. à café de sel
½ cuil. à soupe de sucre
480 ml d'eau tiède
4 cuil. à soupe d'huile d'olive, un peu plus pour graisser
1 blanc d'œuf, légèrement battu
graines de sésame, pour parsemer

4

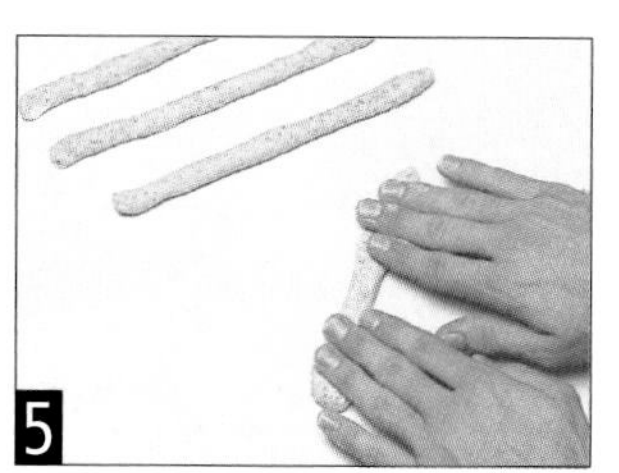
5

1 Dans une terrine, mélanger les farines, la levure, le sel et le sucre, ménager un puits au centre et verser progressivement l'huile et une partie de l'eau, de façon à obtenir une pâte. Incorporer l'eau restante si nécessaire.

2 Sur un plan fariné, pétrir la pâte 10 minutes, jusqu'à ce qu'elle soit élastique, laver la terrine et huiler.

3 Façonner une boule avec la pâte, mettre dans la terrine et retourner de façon à l'enrober d'huile. Couvrir avec un torchon ou du film alimentaire huilé, et laisser lever près d'une source de chaleur de sorte qu'elle double de volume.

6

4 Préchauffer le four à 230 °C (th. 7-8) et chemiser une plaque de four de papier sulfurisé. Sur un plan fariné, pétrir la pâte, diviser en deux et rouler chaque portion en boudins de 40 cm de long. Couper chaque boudin en 8 morceaux, rouler de nouveau en boudins de 40 cm de long et couper chaque morceau en deux, de façon à obtenir 32 pièces.

5 En réservant la pâte non utilisée dans du film alimentaire, rouler un morceau de pâte sur un plan fariné en un gressin de 25 cm, transférer sur la plaque de four et répéter l'opération avec les morceaux de pâte restants.

6 Couvrir, laisser lever 10 minutes et enduire de blanc d'œuf. Parsemer de graines de sésame et cuire au four préchauffé, 10 minutes.

7 Enduire de nouveau de blanc d'œuf, cuire encore 5 minutes, jusqu'à ce qu'ils soient dorés et croustillants, et transférer sur une grille. Laisser refroidir complètement et servir.

gressins au fromage

pour 60 gressins

150 g de farine, un peu plus pour saupoudrer
sel et poivre
poivre de Cayenne
poudre de moutarde
115 g de beurre, coupé en dés, un peu plus pour graisser
75 g de parmesan, râpé
2 jaunes d'œufs
1 à 2 cuil. à soupe d'eau (facultatif)
1 blanc d'œuf, légèrement battu, pour dorer

1 Dans une terrine, tamiser la farine et 1 pincée de sel, de poudre de moutarde et de poivre de Cayenne, incorporer le beurre avec les doigts de façon à obtenir une consistance de chapelure et ajouter le fromage. Incorporer les jaunes d'œufs, un peu d'eau et malaxer jusqu'à obtention d'une pâte. Façonner une boule.

2 Préchauffer le four à 220 °C (th. 6-7) et graisser plusieurs plaques de four. Sur un plan fariné, abaisser la pâte de sorte qu'elle ait 2 cm d'épaisseur, couper en gressins à l'aide d'un couteau tranchant et disposer sur la plaque de four, en les espaçant légèrement. Enduire de blanc d'œuf.

3 Cuire au four préchauffé, 8 à 10 minutes, jusqu'à ce que les gressins soient dorés, retirer du four et laisser refroidir sur les plaques. Conserver dans un récipient hermétique et servir le plus rapidement possible.

1

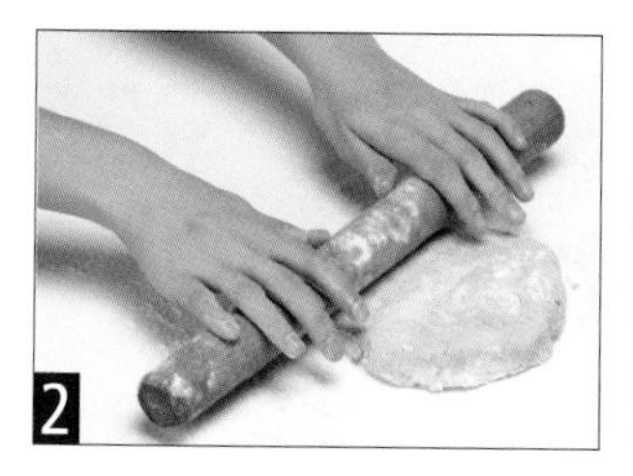
2

2

biscuits à l'ail et à la ciboulette

pour 25 biscuits

55 g de beurre, en pommade, un peu plus pour graisser
2 cuil. à soupe de ciboulette fraîche finement hachée
100 g de farine, un peu plus pour saupoudrer
2 cuil. à soupe de parmesan fraîchement râpé
1 jaune d'œuf
2 à 3 cuil. à soupe d'eau, glacée
3 gousses d'ail, finement hachées
1 jaune d'œuf battu, pour dorer

1 Dans une terrine, mélanger le beurre en pommade et la ciboulette à l'aide d'une fourchette ou d'une cuillère en bois.

2 Dans une autre terrine, tamiser la farine, ajouter le parmesan et incorporer le beurre avec les doigts jusqu'à obtention d'une consistance de chapelure. Ajouter le jaune d'œuf et de l'eau glacée de façon à obtenir une pâte souple, façonner une boule et envelopper de papier d'aluminium. Mettre au réfrigérateur 30 minutes.

3 Préchauffer le four à 200 °C (th. 6-7) et beurrer une plaque de four. Sur un plan fariné, abaisser finement la pâte, parsemer d'ail et plier la pâte en deux. Abaisser de nouveau et couper des ronds de pâte à l'aide d'un emporte-pièce de 6 cm de diamètre.

4 Transférer les ronds de pâte sur la plaque de four, dorer à l'œuf battu et cuire au four préchauffé, 15 à 20 minutes, jusqu'à ce que les biscuits soient dorés. Retirer du four, laisser tiédir et transférer sur une grille. Laisser refroidir complètement et réserver dans un récipient hermétique.

2

3

4

rouleaux au jambon et au parmesan

4 personnes

- 1 petit pain
- 4 cuil. à soupe de beurre, de moutarde ou de fromage frais
- 4 tranches de jambon
- 4 cuil. à soupe de parmesan
- 8 tomates séchées au soleil (facultatif)

VARIANTE

Dans cette recette, vous pouvez utiliser toutes les variétés de jambon que vous aimez. Remplacez le également par du saumon et du fromage frais.

1 Préchauffer le four à 180 °C (th. 6) et graisser une plaque de four. Retirer la croûte du pain, couper en 4 dans l'épaisseur et disposer les tranches entre 2 feuilles de papier sulfurisé graissé. Abaisser à l'aide d'un rouleau à pâtisserie et réserver.

2 Napper chaque tranche de beurre, de moutarde ou de crème fraîche, garnir de tranches de jambon et saupoudrer de parmesan. Hacher les tomates séchées et parsemer sur le fromage.

3 Rouler le pain sur sa longueur, couper les rouleaux obtenus en tranches de 1 cm et disposer sur la plaque de four. Cuire au four préchauffé, 5 minutes, jusqu'à ce que le fromage ait fondu. Retirer du four, garnir de piques à cocktail et servir chaud ou froid.

bouchées aux anchois

pour 30 bouchées

100 g de farine, un peu plus pour dorer
85 g de beurre, coupé en dés
4 cuil. à soupe de parmesan fraîchement râpé
sel et poivre
2 à 3 cuil. à soupe d'eau
3 cuil. à soupe de Moutarde de Dijon
ANCHOÏADE
115 g d'anchois en boîte à l'huile d'olive, égouttés
80 ml de lait
2 gousses d'ail, grossièrement hachées
1 cuil. à soupe de persil frais haché
1 cuil. à soupe de basilic frais haché
1 cuil. à soupe de jus de citron
2 cuil. à soupe d'amandes, blanchies, grillées et concassées
4 cuil. à soupe d'huile d'olive
poivre

1 Pour la pâte, tamiser la farine dans une jatte, ajouter le beurre avec les doigts de façon à obtenir une consistance de chapelure et incorporer la moitié du parmesan et le sel. Ajouter de l'eau froide de façon à obtenir une pâte souple, pétrir légèrement et envelopper de film alimentaire. Mettre au réfrigérateur 30 minutes.

2 Pour l'anchoïade, mettre les anchois dans une terrine, ajouter le lait et laisser reposer 10 minutes. Égoutter, égoutter sur du papier absorbant et jeter le lait.

3 Hacher les anchois, mettre dans un robot de cuisine avec l'ail, le persil, le basilic, le jus de citron, les amandes et 2 cuillerées à soupe d'huile, et mixer jusqu'à obtention d'une consistance homogène. Transférer dans une terrine, ajouter l'huile restante et poivrer selon son goût. Réserver.

4 Préchauffer le four à 200 °C (th. 6-7). Sur un plan fariné, abaisser la pâte finement en rectangle de 50 x 38 cm, napper avec 2 cuillerées à soupe d'anchoïade et saupoudrer de parmesan. Poivrer selon son goût.

5 Rouler la pâte sur sa largeur, couper le rouleau obtenu en tranches de 1 cm d'épaisseur et disposer sur une plaque de four antiadhésive en les espaçant bien.

6 Cuire au four préchauffé, 20 minutes, jusqu'à ce qu'il soit doré et laisser reposer sur une grille.

3

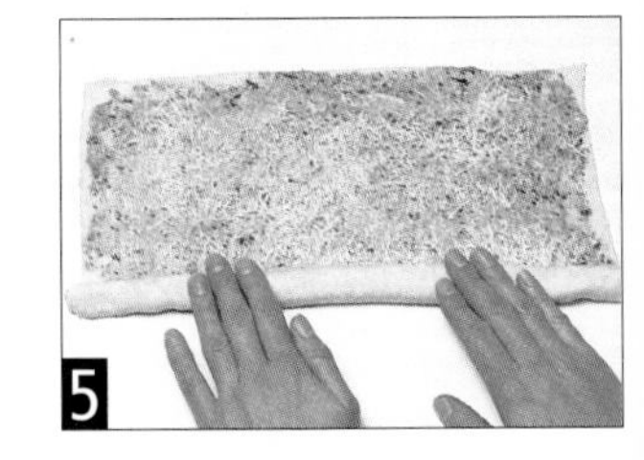
5

A

Abricot
- Bouchées aux abricots et au fromage 181

Aïoli 10
- Bouchées de champignons à l'aïoli 190

Ail
- Beignets de pommes de terre à l'ail 197
- Biscuits à l'ail et à la ciboulette 250
- Hachis à l'ail et au fromage 46
- Légumes et leur sauce au sésame et à l'ail 24
- Pain à l'ail 216
- Sauce à l'ail 28
- Tartelettes à l'ail et aux pignons 60

Ailes de poulet
- au gingembre 111
- au miel 114
- cuites au four 106
- san fransisco 116

Allumettes de pommes de terre chinoises 207

Amande
- Sauce aux amandes, pignons et lentilles 27

Anchois
- Bouchées aux anchois 252
- Hachis au thon et aux anchois 52
- Triangles aux anchois et aux olives 76

Artichaut
- Mini-pizzas aux artichauts 229

Asperge
- Quiche aux asperges et au fromage de chèvre 68

Assortiment de bouchées au fromage 178

Aubergine
- Caviar d'aubergines 19
- Satays d'aubergine 166
- Sauce à l'aubergine et au sésame 29
- Sauce à l'aubergine grillée 53
- Sauce crémeuse à l'aubergine 39

Aumônières aux fruits de mer 98

Avocat
- Tartelettes à la salsa d'avocats 74

B

Baba ghanoush 14

Bagna cauda 36

Barquettes d'endives et de céleri 176

Beignets
- de courgettes au thym 198
- de crevettes à la sauce pimentée 138
- de légumes sauce aigre-douce 194
- de légumes variés 196
- de maïs au fromage 178
- de pommes de terre à l'ail 197
- indonésien à la cacahuète 202

Biscuits à l'ail et à la ciboulette 250

Bœuf
- Brochettes de bœuf 120
- Mini-brochettes de bœuf 109
- Satays de poulet ou de bœuf 118

Böreks 91

Bouchées
- au fromage grillées 180
- aux abricots et au fromage 181
- aux anchois 252
- croustillantes au lard 122
- de bhajis 192
- de champignons à l'aïoli 190
- du diable et des anges 155
- Assortiment de bouchées au fromage 178
- Petites bouchées à la saucisse 126

Boulettes
- de poisson persillées 144
- de poulet et leur sauce 112
- de riz au crabe et au fromage 152

Brochette
- de bœuf 120
- de fruits de mer épicées 156
- Mini-brochettes de bœuf 109
- Mini-brochettes de poulet 110

Brocoli
- Tarte au brocoli et aux noix de cajou 65

Bruschetta 214
- à l'olive et à la tomate 220

C

Cacahuètes
- Beignets indonésien à la cacahuète 202

Calmars frits 148

Cake
- aux lentilles 47
- aux olives 242

Caviar d'aubergines 19

Céleri
- garni au fromage et aux olives 193
- Barquettes d'endives et de céleri 176

Champignons
- farcis 184
- farcis aux épinards 188
- Bouchées de champignons à l'aïoli 190
- Pâté aux champignons et aux châtaignes 48
- Quiche aux champignons 85
- Tourte aux champignons et aux noix du brésil 71

Châtaigne
- Pâté aux champignons et aux châtaignes 48

Chips
- au paprika 210
- de pain pita 244

Chorizo
- Frittata au chorizo et aux olives 128
- Quesadillas au chorizo 129

Coques de pommes de terre croustillantes 204

Courgette
- Petits toasts au basilic et à la courgette 236

Crabe
- Boulettes de riz au crabe et au fromage 152
- Gâteaux de crabe des caraïbes 145
- Triangles au crabe et au gingembre 97
- Wontons au crabe croustillants 146

Crevette
- Beignets de crevettes à la sauce pimentée 138
- Crudités et leur sauce à la crevette 38
- Mini-choux aux crevettes 96
- Ramequins aux crevettes à l'anglaise 136
- Rouleaux à la crevette 139
- Toasts au poulet et aux crevettes 140
- Triangles de tortilla aux crevettes 142

Croissants
- à la féta et aux épinards 77
- au thym 100

Crostinis à la florentine 230

Croûtons au fromage de chèvre 245

Crudités et leur sauce à la crevette 38

Cumin
- Losanges au cumin 102

D-E

Dim sum de légumes 168

Endive
- Barquettes d'endives et de céleri 176

Épinard
- Champignons farcis aux épinards 188
- Croissants à la féta et aux épinards 77
- Feuilleté aux épinards et à la pomme de terre 78
- Tarte aux épinards 80
- Triangles aux épinards et à la féta 75
- Triangles aux épinards et à la pomme de terre 72

F

Falafel 163

Féta
- Croissants à la féta et aux épinards 77
- Triangles aux épinards et à la féta 75

Feuilles de vigne farcies 182

Feuilleté aux épinards et à la pomme de terre 78

Figues fraîches au gorgonzola 221

Foie
- Pâté de foies de poulet 42

Frites
- au four 211
- de maïs épicées 172

Frittata au chorizo et aux olives 128

Fromage
Assortiment de bouchées au fromage 178
Beignets de maïs au fromage 178
Bouchées au fromage grillées 180
Bouchées aux abricots et au fromage 181
Boulettes de riz au crabe et au fromage 152
Céleri garni au fromage et aux olives 193
Croûtons au fromage de chèvre 245
Gressins au fromage 248
Hachis à l'ail et au fromage 46
Hachis aux noix, aux œufs et au fromage 50
Pain au fromage et à la ciboulette 240
Quiche aux asperge et au chèvre 68
Sablés au fromage 101
Sauce au fromage frais 22
Tartelettes au fromage de chèvre et à l'huître 66
Tartelettes au fromage et à l'oignon 62
Tartelettes au pesto et au fromage de chèvre 61
Fruits de mer
Aumônières aux fruits de mer 98
Brochettes de fruits de mer épicées 156

G

Galettes de maïs 171
Gâteaux
de crabe des caraïbes 145
de poisson à l'aigre-douce 150
Gingembre
Ailes de poulet au gingembre 111
Triangles au crabe et au gingembre 97
Gorgonzola
Figues fraîches au gorgonzola 221
Gressins
au fromage 248
au sésame 246
Guacamole 18

H

Hachis
à l'ail et au fromage 46
au hareng et à la pomme 154
au thon et aux anchois 52
aux noix, aux œufs et au fromage 50
aux olives noires 51
de pommes de terre 45
de poulet au jambon et au persil 44
Hareng
Hachis au hareng et à la pomme 154
Ramequins de harengs 41
Haricot
Nachos aux haricots noirs 203
Pâté de haricots à la ricotta 54
Quesadillas aux haricots 170
Sauce aux haricots et à la menthe 30
Houmous et son pain libanais 12
Huître
Tartelettes au fromage de chèvre et à l'huître 66

J-K-L

Jambon
Hachis de poulet au jambon et au persil 44
Rouleaux au jambon et au parmesan 251
Kibbeh de pommes de terre 208
Lard
Bouchées croustillantes au lard 122
Légumes
et leur sauce au sésame et à l'ail 24
marinés à la marocaine 162
Beignets de légumes sauce aigre-douce 194
Beignets de légumes variés 196
Dim sum de légumes 168
Samosas aux légumes 92
Tempura de tofu et de légumes 200
Lentilles
Cake aux lentilles 47
Sauce aux amandes, pignons et lentilles 27
Tarte aux lentilles 84
Losanges au cumin 102

M

Maïs
Beignets de maïs au fromage 178
Galettes de maïs 171
Frites de maïs épicées 172
Pop-corn et noix épicés 174
Mangue
Pilons de poulet et leur salsa à la mangue 117
Maquereau
Pâté de maquereau fumé 40
Menthe
Sauce aux haricots et à la menthe 30
Miel
Ailes de poulet au miel 114
Pilons au miel et à la moutarde 108
Travers de porc rôti au miel et au piment 124
Mini-choux aux crevettes 96
Mini-croustades garnies 232
Mini-focaccias 238
Mini-pizzas 226
à l'oignon 228
au pepperoni 222
aux artichauts 229
de muffin 223
de pain pita 227
Moules au beurre épicé 147
Moutarde
Pilons au miel et à la moutarde 108
Mozzarella
Petits en-cas à la mozzarella 234

N

Nachos
aux haricots noirs 203
relevés à la salsa 34
Nems végétariens 164
Noix
Hachis aux noix, aux œufs et au fromage 50
Pop-corn et noix épicés 174
Tarte au brocoli et aux noix de cajou 65
Tourte aux champignons et aux noix du brésil 71

O

Œuf
à la diable 134
Hachis aux noix, aux œufs et au fromage 50
Toasts aux œufs et à la tapenade 233
Oignon
Mini-pizzas à l'oignon 228
Sauce à l'oignon 26
Tarte à l'oignon 58
Tartelettes au fromage et à l'oignon 62
Olive
aromatisées 160
Bruschetta à l'olive et à la tomate 220
Cake aux olives 242
Céleri garni au fromage et aux olives 193
Frittata au chorizo et aux olives 128
Hachis aux olives noires 51
Triangles aux anchois et aux olives 76

P

Pain
à l'ail 216
au fromage et à la ciboulette 240
Chips de pain pita 244
Houmous et son pain libanais 12
Mini-pizzas de pain pita 227
Petits pains aux tomates séchées 239
Pan bagna 224
Parmesan
Rouleaux au jambon et au parmesan 251
Pâté
aux champignons et aux châtaignes 48
de foies de poulet 42
de haricots à la ricotta 54
de maquereau fumé 40
Pepperoni
Mini-pizzas au pepperoni 222
Persil
Hachis de poulet au jambon et au persil 44

Pesto
Tartelettes au pesto et au chèvre 61
Petits en-cas à la mozzarella 234
Petits pains aux tomates séchées 239
Petits toasts au basilic et à la courgette 236
Pignon
Sauce aux amandes, pignons et lentilles 27
Tartelettes à l'ail et aux pignons 60
Pilons
au miel et à la moutarde 108
de poulet et leur salsa à la mangue 117
Piment
Salsa au chipotle 33
Travers de porc rôti au miel et au piment 124
Piperade 218
Pissaladière 88
Poisson
Boulettes de poisson persillées 144
Poivrons
farcis 186
Sauce au poivron rouge 11
Pomme
Hachis au hareng et à la pomme 154
Pommes de terre
nouvelles au romarin 206
Allumettes de pommes de terre chinoises 207
Beignets de pommes de terre à l'ail 197
Coques de pommes de terre croustillantes 204
Feuilleté aux épinards et à la pomme de terre 78
Hachis de pommes de terre 45
Triangles aux épinards et à la pomme de terre 72
Porc
Satays de porc 121
Travers de porc à la chinoise 130
Travers de porc rôti au miel et au piment 124
Poulet
Ailes de poulet au gingembre 111
Ailes de poulet au miel 114
Ailes de poulet cuites au four 106
Ailes de poulet san fransisco 116
Boulettes de poulet et leur sauce 112
Hachis de poulet au jambon et au persil 44
Mini-brochettes de poulet 110
Pâté de foies de poulet 42
Pilons au miel et à la moutarde 108
Pilons de poulet et leur salsa à la mangue 117
Satays de poulet ou de bœuf 118
Toasts au poulet et aux crevettes 140

Q

Quesadillas
au chorizo 129
aux haricots 170
Quiche
aux asperge et au fromage de chèvre 68
aux champignons 85
lorraine 86

R

Ramequins
aux crevettes à l'anglaise 136
de harengs 41
Ricotta
Pâté de haricots à la ricotta 54
Riz
Boulettes de riz au crabe et au fromage 152
Rouleaux
à la crevette 139
Petits rouleaux asiatiques 90
Mini-rouleaux à la saucisse 94
Rouleaux au jambon et au parmesan 251
Roulés aux trois saveurs 123

S

Sablés au fromage 101
Salsa
au chipotle 33
Nachos relevés à la salsa 34
Pilons de poulet et leur salsa à la mangue 117
Salsas mexicaines 32
Tartelettes à la salsa d'avocats 74
Samosas aux légumes 92
Satays
d'aubergine 166
de porc 121
de poulet ou de bœuf 118
Sauce
à l'ail 28
à l'aubergine et au sésame 29
à l'aubergine grillée 53
à l'oignon 26
au fromage frais 22
au poivron rouge 11
aux amandes, pignons et lentilles 27
crémeuse à l'aubergine 39
Beignets de crevettes à la sauce pimentée 138
Beignets de légumes sauce aigre-douce 194
Crudités et leur sauce à la crevette 38
Légumes et leur sauce au sésame et à l'ail 24
Saucisse
Mini-rouleaux à la saucisse 94
Petites bouchées à la saucisse 126
Petites saucisses thaïes 125
Sésame
Gressins au sésame 246
Légumes et leur sauce au sésame et à l'ail 24
Sauce à l'aubergine et au sésame 29
Sincronizadas 237
Skordalia 23

T

Tapenade 20
Toasts aux œufs et à la tapenade 233
Tarama 16
Tarte
à l'oignon 58
au brocoli et aux noix de cajou 65
aux épinards 80
aux lentilles 84
provençale 82
Tartelettes
à l'ail et aux pignons 60
à la grecque 64
à la salsa d'avocats 74
au fromage de chèvre et à l'huître 66
au fromage et à l'oignon 62
au pesto et au fromage de chèvre 61
mexicaines 70
Tempura de tofu et de légumes 200
Thon
Hachis au thon et aux anchois 52
Thym
Beignets de courgettes au thym 198
Croissants au thym 100
Toasts
au poulet et aux crevettes 140
aux œufs et à la tapenade 233
Petits toasts au basilic et à la courgette 236
Tofu
Tempura de tofu et de légumes 200
Tomates
farcies 185
Bruschetta à l'olive et à la tomate 220
Petits pains aux tomates séchées 239
Tortilla
Triangles de tortilla aux crevettes 142
Tourte aux champignons et aux noix du brésil 71
Travers de porc
à la chinoise 130
rôti au miel et au piment 124
Triangles
au crabe et au gingembre 97
aux anchois et aux olives 76
aux épinards et à la féta 75
aux épinards et à la pomme de terre 72
de tortilla aux crevettes 142
Tzatziki 15

W

Wontons au crabe croustillants 146